La llamada de lo salvaje

La llamada de lo salvaje

Jack London

EL PAIS
AVENTURAS

Título original: *The Call of the Wild; Finis*

Miguel Yuste, 40
28037 Madrid

Traducción: M. I. Villarino
Diseño de la colección: Manuel Estrada

ISBN: 84-96246-37-X
Depósito legal: M-396-2004
Impreso en España por Mateu Cromo, S. A., Pinto (Madrid)

Índice

LA LLAMADA DE LO SALVAJE

Hacia lo primitivo

> El impulso errante de antiguos deseos
> sufriendo cadenas atávicas
> despierta de nuevo de su sueño de brumas
> a la raza fiera.

Buck no leía los periódicos; por eso no se enteró de la gran amenaza que iba a transformar no sólo su vida, sino la de los perros de toda la costa, desde el estrecho de Puget hasta San Diego, que tuvieran fuerte musculatura y denso y cálido pelaje. Los hombres que se afanaban por entre las penumbras del Ártico habían encontrado un metal amarillo y las navieras y compañías de transporte pregonaban el hallazgo; por ello, miles de hombres afluían presurosos a las tierras del Norte. Estos hombres necesitaban perros y además perros resistentes, de recia musculatura que aguantase los trabajos pesados, y fuertes pelambreras que los protegiesen de las heladas.

Buck vivía en una hermosa casa, en el soleado valle de Santa Clara. La llamaban la hacienda del juez Miller. Estaba apartada del camino, medio escondida entre una arboleda que apenas dejaba entrever la amplia y fresca balconada que rodeaba la casa por sus cuatro costados. A la casa se llegaba por senderos de grava que serpenteaban por entre amplias extensiones de césped y bajo las ramas entrelazadas de altos álamos. Por la parte posterior, la finca era aún más espaciosa. Tenía grandes caballerizas, que atendían una docena de palafreneros y mozos de cuadra, varias filas de casitas para el servicio, todas ellas con su emparrado, y un sinfín de pulcros cobertizos, parras altas, verdes pastizales, huertos y vergeles. Y luego estaba la bomba del pozo artesiano y un gran pilón de cemento donde los hijos del juez Miller se daban un chapuzón por las mañanas, o se refrescaban cuando las tardes eran calurosas.

Y sobre estos vastos dominios reinaba Buck. Allí había nacido y allí pasó sus cuatro años de vida. Cierto que había otros perros (no podían faltar en un lugar tan enorme como aquel), pero eran segundones. Iban de acá para allá, se quedaban en las pobladas perreras o se perdían discretamente por los rincones más oscuros de la mansión, como Toots, el doguito japonés, o Ysabel, la perrita mexicana pelona (seres extraños que rara vez asoman la nariz fuera de casa o pisan la tierra). Por otra parte, estaban los foxterriers, más de veinte a buen seguro, que ladraban amenazadoramente a Toots y a Ysabel, que los miraban desde las ventanas y bajo la protección de una legión de criadas armadas con escobas y fregonas.

Buck no era perro para estar en casa ni para vivir en una perrera. Toda la finca era suya. Se zambullía en la alberca o se iba de caza con los hijos del juez; escoltaba a las hijas, Mollie y Alice, en las caminatas que daban por la mañana temprano o al atardecer; y en las noches invernales solía tenderse a los pies del juez, ante el crepitante fuego de la biblioteca. A los nietos del juez los llevaba sobre su lomo y les daba revolcones sobre el césped; y no los perdía de vista cuando se aventuraban hasta la fuente de las caballerizas y aún más lejos, hasta los pastizales o los vergeles. Cuando caminaba entre los foxterriers, lo hacía con arrogancia, y en cuanto a Toots e Ysabel los despreciaba olímpicamente, pues él era el rey, y reinaba sobre todo cuanto por los dominios del juez Miller gateaba, se arrastraba o volaba, seres humanos inclusive.

Su padre, Elmo, un enorme San Bernardo, había sido compañero inseparable del juez, y Buck llevaba el mismo camino que su progenitor. No era tan grande (solo pesaba ciento cuarenta libras*), porque su madre, Shep, había sido una collie escocesa. Pero, si a esas ciento cuarenta libras se le sumaba la dignidad, que es producto de una vida regalada y un respeto universal, el resultado era un porte de lo más majestuoso. Los cuatro primeros años de su vida habían sido los de un aristócrata satisfecho; era refinadamente orgulloso y un poco egoísta, como se vuelven a veces los ricos terratenientes a causa de su aislamiento. Pero se libró de convertirse en un mero perro casero. La caza y otros placeres de la vida al aire libre le habían servido para rebajar grasas y endurecer sus músculos; y su afición al agua fría, que le venía de raza, fue para su cuerpo un tónico que lo mantenía en forma.

Esta era la vida de perro que Buck llevaba en el otoño de 1897 cuando el hallazgo del Klondike arrastró a hombres de todo el mundo hasta las tierras heladas del Norte. Pero Buck no leía los periódicos e ignoraba que Manuel, uno de los ayudantes del jardinero, era un tipo indeseable. Manuel tenía un vicio: le gustaba jugar a la lotería china. Y además, al jugar tenía una debilidad ruinosa: confiaba en un método, lo que habría de llevarle irremisiblemente a la perdición. Porque jugar sistemáticamente requiere dinero, y el salario del ayudante de un jardinero apenas basta para cubrir las necesidades de una mujer y su numerosa progenie.

El juez asistía a una reunión de la Asociación de Vinateros y los chicos se dedicaban a organizar un club de atletismo aquella noche memorable en que Manuel perpetró su traición. Nadie lo vio salir con Buck y cruzar el huerto; el mismo Buck creía que iban a dar un paseo. Y nadie los vio llegar al apeadero de College Park, más que un hombre solitario que allí estaba y que ha-

* Ciento cuarenta libras son aproximadamente 63,5 kilogramos, es decir, un peso bastante considerable para un perro.

bló con Manuel mientras unas monedas pasaban de una mano a otra.

—Ya podías envolver el paquete antes de entregarlo —gruñó el forastero, y Manuel enrolló una fuerte soga alrededor del cuello de Buck por debajo del collar.

—Retuércela y lo ahogas pero bien —dijo Manuel, y el forastero asintió con otro gruñido.

Buck había soportado la soga con serena dignidad. La verdad es que el hecho le pareció extraño, pero había aprendido a fiarse de los hombres que conocía y a admitir que la sabiduría humana era superior a la suya propia; mas, cuando vio que el forastero asía los cabos de la soga, gruñó amenazadoramente. Se limitó a insinuar su descontento, creyendo muy ufano que insinuar equivale a ordenar. Pero cuál no sería su sorpresa cuando la soga le ciñó el cuello impidiéndole casi respirar. Se abalanzó furioso contra el hombre, que le hizo frente, lo agarró por el cuello y, con una hábil maniobra, lo tiró de espaldas. Luego, la soga se ciñó sin piedad, mientras Buck se debatía desesperado, con la lengua fuera y jadeando inútilmente. Nunca en su vida lo habían tratado de manera tan infame y nunca en su vida se había sentido tan irritado. Pero sus fuerzas cedieron, sus ojos se empañaron y no se enteró de que el tren se detenía y los dos hombres lo empujaban dentro del furgón de equipajes.

Cuando recobró el sentido, notó vagamente que la lengua le dolía y que lo sacudían los traqueteos de algún tipo de vehículo. El ronco silbato de una locomotora en un cruce le reveló dónde se hallaba. A menudo había viajado con el juez y demasiado conocía él la sensación de encontrarse en el furgón de equipajes. Abrió los ojos y en ellos se reflejó la rabia incontenida de un rey secuestrado. El hombre le saltó al cuello, pero Buck se le adelantó. Sus fauces se cerraron sobre la mano y no la soltaron hasta que volvió a perder el sentido.

—Es que le dan ataques —dijo el hombre, escondiendo la mano herida cuando acudió el encargado del furgón al oír el forcejeo—. El jefe me ha mandado llevarlos a Frisco*. Hay allí un médico de perros fenomenal, que dice que puede curarlo.

Con relación a lo ocurrido durante el viaje, el hombre se dio mucho a valer en la trastienda de un bar en el muelle de San Francisco.

—Solo saco cincuenta —gruñó— y no volvería a hacerlo ni por mil al contado.

Llevaba la mano envuelta en un pañuelo ensangrentado y la pernera derecha del pantalón rasgada de la rodilla al tobillo.

—¿Cuánto sacó el otro tío? —preguntó el tabernero.

—Cien. No lo dejaba por una perra menos, así que ya me dirás.

—O sea, que son ciento cincuenta —calculó el tabernero—, aunque bien los vale o yo soy un majadero.

El secuestrador se quitó el vendaje ensangrentado y contempló su mano herida:

—Con tal de que no coja la rabia...

—Descuida, que tú has de morir ahorcado —se burló el tabernero—. Anda, échame una mano antes de que te largues.

Aturdido, padeciendo insufribles dolores en la lengua y la garganta, medio muerto de asfixia, Buck intentó hacer frente a sus torturadores. Pero lo derribaron y le retorcieron la soga varias veces hasta que consiguieron limarle el grueso collar de latón que llevaba al cuello. Luego le quitaron la soga y lo metieron en un cajón parecido a una jaula.

Allí se quedó el resto de aquella noche agotadora, alimentando su rabia y su orgullo herido. No podía comprender lo que pasaba. ¿Qué iban a hacer con él aquellos desconocidos? ¿Por qué lo tenían encerrado en aquel cajón tan pequeño? Ignoraba las razones,

* Abreviatura popular de San Francisco.

pero se sentía oprimido por la vaga sensación de que iba a suceder alguna calamidad. Varias veces en el transcurso de la noche se incorporó de un salto al oír que se entreabría la puerta del cobertizo, esperando ver al juez, o por lo menos a los chicos. Pero siempre resultaba ser la gruesa cara del tabernero que se asomaba a echarle un vistazo a la mortecina luz de una candela de sebo. Y entonces el alegre ladrido que temblaba en la garganta de Buck se transformaba en un gruñido feroz.

Pero el tabernero no lo molestó y por la mañana llegaron dos hombres que se llevaron el cajón. Más torturadores, pensó Buck, pues tenían un aspecto horrible, desharrapados y sucios; y les rugió amenazadoramente por entre los barrotes. Pero ellos se limitaron a reír y a azuzarlo con palos que Buck se apresuró a morder hasta que se dio cuenta de que eso era justamente lo que ellos querían. Así que se quedó quieto y abatido mientras subían la jaula a un carromato. Luego, él y su cárcel de madera fueron pasando de mano en mano. Los empleados de la oficina de facturación se hicieron cargo de él; después lo trasladaron a otro vagón; una vagoneta lo transportó junto con varias cajas y paquetes hasta un transbordador, de donde pasó a un gran almacén de ferrocarriles para acabar depositado en el vagón de un tren expreso.

Durante dos días y dos noches el vagón del expreso se arrastró tirado por estrepitosas locomotoras; y durante dos días y dos noches Buck no probó bocado ni agua. Estaba tan furioso, que había respondido a los primeros gestos de los empleados del tren con gruñidos y ellos a su vez se vengaron haciéndole rabiar. Si se abalanzaba contra los barrotes, babeando y jadeante, se reían de él y redoblaban sus burlas. Gruñían y ladraban como perros asquerosos, maullaban, agitaban los brazos como si fueran alas y graznaban. Ya sabía que eran tonterías, pero precisamente por eso ofendían más hondamente su dignidad, y su rabia crecía por momentos. No le importaba mucho pasar hambre, pero la falta de agua le resultaba muy penosa y avivaba su ira de un modo febril. De naturaleza nerviosa y muy sensible, los malos tratos le habían sumido en una fiebre que crecía con la inflamación de la lengua y la garganta, hinchadas y resecas.

Su único alivio era que ya no tenía la soga al cuello. Antes, ellos habían jugado con ventaja, pero, ahora que se la habían quitado, ya les enseñaría quién era él. Nunca le volverían a atar una soga al cuello, estaba decidido. Durante dos días y dos noches ni comió ni bebió, y durante aquellos dos días y dos noches de tormento se le fue acumulando una ira que no presagiaba nada bueno para el primero que se pusiera en su camino. Tenía los ojos inyectados en sangre y se había convertido en una fiera rabiosa. Tan cambiado estaba, que ni el mismo juez lo habría reconocido; y los empleados de ferrocarril se quedaron muy aliviados cuando lo bajaron del tren en Seattle.

Cuatro mozos trasladaron con cautela el cajón hasta un patinillo interior de altos muros. Un hombre fortachón, con un jersey rojo desbocado, salió y firmó el recibo al conductor. Este es el hombre, se dijo Buck, el siguiente torturador; y se arrojó ferozmente contra los barrotes. El hombre sonrió torvamente y trajo un hacha y un garrote.

—No se le ocurrirá soltarlo ahora, ¿no? —le preguntó el conductor.

—Claro que sí —contestó el hombre, emprendiéndola a hachazos contra el cajón.

Los cuatro hombres que lo habían traído salieron de estampida y se dispusieron a contemplar el espectáculo bien encaramados en lo alto del muro.

Buck se abalanzó sobre las astilladas maderas, clavándoles los dientes y luchando furioso contra ellas. A cada golpe del hacha en el exterior, él respondía con otro en el interior, rugiendo ferozmente; y sus salvajes ansias por salir eran equivalentes a la calma controlada que manifestaba el hombre del jersey rojo por sacarlo.

—Vamos, demonio de ojos rojos —dijo cuando vio que el agujero era lo suficientemente grande como para que pudiera pasar el cuerpo de Buck. Y al mismo tiempo soltó el hacha y se pasó el garrote a la mano derecha.

Y en verdad que Buck era un demonio de ojos rojos cuando se dispuso a saltar con los pelos erizados, la boca espumajeante y una mirada enloquecida en sus ojos inyectados en sangre. Salió disparado hacia el hombre, con sus ciento cuarenta libras de furia reforzada por la rabia acumulada en dos días y dos noches de encierro. Pero a mitad de camino, en el mismísimo momento en que sus fauces se disponían a cerrarse sobre el hombre, recibió un golpe que detuvo su cuerpo y le hizo apretar fuertemente las mandíbulas en una dentellada de dolor. Giró en el aire y cayó al suelo.

Nunca en su vida le habían dado un garrotazo y no comprendía lo que le pasaba. Con un rugido que era más un grito que un aullido se volvió a enderezar dispuesto a saltar. Y de nuevo se produjo el golpe y volvió a caer aplastado al suelo. Esta vez se dio cuenta de que la culpa la tenía el garrote, pero su locura le impedía ser prudente. Volvió a atacar una docena de veces, y otras tantas le cayó encima el garrote, derribándolo.

Después de un golpe extraordinariamente violento se arrastró hasta los pies del hombre, demasiado aturdido para volver a atacar; cojeaba, le manaba sangre de la nariz, boca y oídos, y tenía su hermoso pelaje manchado de sangre y babas. Entonces, el hombre avanzó y le descargó deliberadamente un golpe terrible en el hocico. Todos los dolores que acababa de sufrir no fueron nada comparados con la refinada crueldad de éste. Con un rugido casi tan fiero como el de un león se volvió a abalanzar sobre el hombre. Pero éste, pasándose el garrote de la mano derecha a la izquierda, lo cogió por debajo de la quijada, retorciéndolo al mismo tiempo hacia abajo y hacia atrás. Buck describió un círculo completo en el aire y la mitad de otro, y luego cayó al suelo de bruces.

Por última vez volvió a atacar. Pero el hombre se tenía reservado su golpe más astuto y Buck cayó hecho un ovillo y completamente sin sentido.

—¡Digo! ¡Éste no se anda con rodeos a la hora de domar un perro! —gritó, entusiasmado, uno de los hombres que estaba sentado en el muro.

—Yo preferiría domar potros cayuses a diario y ración doble el domingo —le gritó el conductor, al tiempo que trepaba al carromato y echaba a andar a los caballos.

Buck recuperó el sentido, pero no las fuerzas. Tendido en el mismo lugar donde había caído, observaba desde allí al hombre del jersey rojo.

—Responde al nombre de Buck —musitó el hombre repitiendo las palabras de la carta del tabernero, que le había anunciado el envío del cajón y su contenido—. Bueno, hombre, Buck —prosiguió muy animado—, hemos tenido una peleílla y, ahora, borrón y cuenta nueva. Ya sabes a qué atenerte y yo también. Pórtate bien y todo marchará sobre ruedas. Pero si te portas mal, te rompo la crisma. ¿Te enteras?

Y mientras hablaba acariciaba sin temor la cabeza que tan despiadadamente acababa de golpear y, aunque a Buck se le pusieron los pelos de punta sin querer, al sentir el roce de aquella mano, lo soportó sin protestar. Cuando el hombre le trajo agua, la bebió con ansiedad y luego se tragó una buena ración de carne cruda, cogiéndola, pedazo a pedazo, de su mano.

Le habían vencido (bien lo sabía Buck), pero no estaba derrotado. Se dio cuenta, de una vez y para siempre, de que no podía enfrentarse a un hombre con garrote. Se aprendió la lección y nunca en su vida la llegó a olvidar. El garrote fue para él una revelación que lo introdujo en el reino de la ley primitiva, y aceptó las reglas del juego. El sentido de la vida adquirió un aspecto más salvaje; y, aunque no se arredraba al enfrentarse a este aspecto, lo hacía con toda la astucia latente que se había despertado en su naturaleza. Con el paso de los días llegaron otros perros, unos en cajones y otros atados con sogas, unos mansamente, y otros rabiando y rugiendo como había llegado él; y a todos ellos los vio someterse a la autoridad del hombre del jersey rojo. Una y otra vez, mientras contemplaba cada una de aquellas actuaciones brutales, Buck recordaba la lección aprendida; un hombre con garrote es la ley, es un amo al que hay que obedecer, aunque no se le llegue a aceptar. Buck nunca lo hizo, a pesar de ver perros apaleados que se humillaban ante aquella mano y la lamían meneando la cola.

También vio un perro que no estaba dispuesto a ceder ni a obedecer y que acabó por morir en aquella lucha por el dominio.

De cuando en cuando llegaban hombres, forasteros, que hablaban con gran animación y muchas zalamerías y en todos los tonos al hombre del jersey rojo. Y cuando se intercambiaban dinero, los forasteros se llevaban un perro o varios. Buck se preguntaba adónde irían, pues nunca regresaron; pero sentía un gran temor ante el futuro y se alegraba cada vez que no resultaba elegido.

Pero al cabo le llegó su hora, bajo la forma de un hombrecillo que chapurraba un inglés incorrecto entremezclado con mil extraños juramentos que Buck no lograba comprender.

—¡*Sacredam*[*]! —exclamó al echarle la vista encima a Buck—. Peggo de buena ggaza, ¿eh? ¿Cuánto?

---

* Blasfemia en francés, equivalente a «recristo» o «rediós».

—Trescientos, y está regalado —contestó rápidamente el hombre del jersey rojo—. Y como pagas con dinero del Gobierno, no irás a quejarte, ¿eh, Perrault?

Perrault sonrió. Teniendo en cuenta que el precio de los perros se había puesto por las nubes por la extraordinaria demanda que de ellos había, no era una suma exagerada para aquel hermoso animal. El Gobierno canadiense no saldría perdiendo, ni su correo viajaría más despacio. Perrault entendía de perros y en cuanto vio a Buck se dio cuenta de que era un fuera de serie. «Muy fuera de serie», se dijo mentalmente.

Buck vio que el dinero pasaba entre las manos de ambos hombres y no le sorprendió ver que el hombrecillo arrugado se lo llevaba a él y a Curly, una dócil perra de Terranova. Fue la última vez que vio al hombre del jersey rojo y también fue la última vez que vio las cálidas tierras del Sur, mientras desde el puente del *Narwhal* él y Curly miraban cómo se alejaba la ciudad de Seattle. Perrault se los llevó bajo cubierta y los dejó al cuidado de un gigantón de cara negra que se llamaba François. Perrault era francocanadiense y de piel morena, pero François era además mestizo y tenía la piel mucho más oscura. Para Buck eran una raza de hombres desconocida (de los que aún había de ver muchos ejemplares), y aunque no llegó a cobrarles afecto, sin embargo, con el tiempo, aprendió a respetarlos. No tardó en comprender que Perrault y François eran hombres honrados, serenos e imparciales a la hora de administrar justicia, y harto acostumbrados a tratar perros como para dejarse engañar por ellos.

En las entrecubiertas del *Narwhal,* Buck y Curly se encontraron con otros dos perros. Uno era un ejemplar grande y blanco como la nieve que procedía de Spitzbergen, donde lo había recogido el capitán de un barco ballenero, y que luego acompañó a una expedición geológica por los Barren.

Era cordial, aunque un tanto traicionero, y sonreía abiertamente mientras cavilaba alguna perrería como, por ejemplo, cuando le robó a Buck parte de su ración la primera vez que comieron juntos. Buck se abalanzó para darle una lección, pero en ese momento el látigo de François restalló por el aire castigando al culpable y Buck sólo tuvo que recoger el hueso. Pensó que François se había portado honradamente y el mestizo comenzó a subir puntos en la estima de Buck.

El otro perro era muy reservado y no intimaba con nadie, aunque también es cierto que tampoco les robó nada a los recién llegados. Era hosco y taciturno y enseguida hizo ver a Curly que solo quería que lo dejasen en paz y, además, que si no lo hacían se verían en apuros. Se llamaba Dave y allí estaba comiendo y durmiendo, o bostezando entre una cosa y otra, sin interesarse por nada, ni siquiera cuando el *Narwhal* cruzó el estrecho de la Reina Carlota y empezó a balancearse, y a cabecear y corcovear como si estuviera endemoniado.

Buck y Curly se pusieron muy nerviosos, medio locos de miedo, pero él alzó la cabeza como fastidiado, se dignó lanzarles una mirada indiferente, bostezó y volvió a dormirse tranquilamente.

El barco se movía día y noche siguiendo el incansable pulso de su hélice y, aunque los días transcurrieron de modo muy similar, Buck se percató de que cada vez hacía más frío. Por fin, una mañana la hélice se detuvo y una atmósfera de excitación invadió el *Narwhal.* Buck la percibió, al igual que los otros perros, y adivinó la inminencia de un cambio. François les puso las correas y los subió a cubierta. En cuanto dio un paso sobre aquella fría superficie, las patas de Buck se hundieron en algo blanco y fofo que parecía barro.

Saltó hacia atrás con un bufido. Por el aire caían más cosas de aquellas blancas. Se sacudió, pero le seguían cayendo encima. Entonces las olisqueó, curioso, y luego lamió algunas con la lengua. Quemaban como el fuego y enseguida desaparecían. Esto le intrigó. Repitió la operación con los mismos resultados. Algunas gentes lo observaban riéndose a carcajadas y a Buck le dio vergüenza sin saber por qué: era la primera vez que veía la nieve.

La ley del garrote y el colmillo

El primer día que Buck pasó en la playa de Dyea fue como una pesadilla. Cada hora le reservaba una sorpresa desagradable. Lo habían arrancado de repente del corazón de la civilización para echarlo al de las cosas primitivas. Ésta no era una vida indolente y soleada, sin otro quehacer más que holgazanear y pasar el rato. Aquí no había paz ni descanso, ni un momento de reposo. Todo era confusión y actividad y, a cada momento, su vida o su cuerpo estaban en peligro. Era absolutamente necesario mantenerse todo el tiempo alerta, pues aquellos perros y aquellos hombres no eran perros ni hombres civilizados. Eran unas bestias todos ellos y no conocían otra ley que la del garrote y el colmillo.

Nunca había visto perros que peleasen como aquellos seres alobunados y su primera experiencia le enseñó una lección inolvidable. Cierto que se trató de una experiencia ajena, pues si hubiera sido propia no habría vivido para aprovecharse de ella. Curly fue la víctima. Habían acampado cerca de la leñera y ella, con su natural cordialidad, se acercó a un perro esquimal del tamaño de un lobo adulto y ni siquiera la mitad de grande que ella. No hubo aviso previo, solo una embestida fulminante, un metálico chocar de dientes, una retirada igual de veloz y la cara de Curly quedó rajada desde el ojo hasta la quijada.

Así peleaban los lobos: atacaban y se retiraban; pero aún le quedaba por ver más. Treinta o cuarenta perros esquimales acudieron al lugar y rodearon a los combatientes en un círculo silencioso y tenso. Buck no comprendía aquel tenso silencio, ni tampoco la ansiedad con que se relamían los hocicos. Curly corrió tras su adversario, que la volvió a atacar y se retiró hacia un lado. Hizo frente a la siguiente acometida de Curly con el pecho, de un modo tan peculiar que la derribó. Ya no volvió a enderezarse. Esto era lo que los otros esquimales estaban esperando. Se abalanzaron sobre ella, gruñendo y ladrando y quedó aprisionada, gritando de dolor, bajo una mole de cuerpos peludos.

Todo fue tan repentino, y tan inesperado, que Buck se quedó desconcertado. Vio que Spitz sacaba su lengua escarlata de aquel modo que en él significaba que se estaba riendo; y vio a François que, blandiendo un hacha, cargaba sobre aquel revoltijo de perros. Tres hombres con garrotes lo ayudaron a dispersarlos. No les llevó mucho tiempo. A los dos minutos de haber sucumbido Curly, François había ahuyentado a palos a todos sus atacantes. Pero ella yacía allí, tiesa y sin vida, sobre la nieve hollada y ensangrentada, prácticamente hecha pedazos, y el moreno mestizo, de pie junto a ella, lanzaba horribles juramentos. A menudo esta escena venía a turbar los sueños de Buck. Así que estas eran las costumbres. No se jugaba limpio. Si caías, estabas perdido. Bueno, ya procuraría él no caer. Spitz volvió a sacar la lengua y a reír y desde ese momento Buck lo aborreció con un odio implacable y amargo.

Aún no se había recuperado del choque que le produjo la trágica muerte de Curly, cuando recibió otro golpe. François le echó encima un aparejo de correas y hebillas. Eran unos arneses semejantes a los que había visto poner a los mozos sobre los lomos de los caballos del juez Miller. Y lo mismo que había visto faenar a los caballos, así tuvo que ponerse a trabajar él y arrastrar a François en un trineo hasta el bosque que lindaba el valle para traer una carga de leña. Aunque su dignidad se sintió íntimamente herida por verse tratado como un animal de carga, fue lo suficientemente prudente como para no oponerse. Se puso a ello con la mejor voluntad e hizo lo que pudo, aunque todo le resultaba nuevo y extraño. François era duro; exigía obediencia inmediata y la conseguía gracias a su látigo, y Dave, que era un experimentado perro de varas, mordisqueaba los cuartos traseros de Buck cuando éste se equivocaba. Spitz iba en cabeza y también era un experto; pero, como no alcanzaba a morder a Buck, le lanzaba un gruñido de aviso de cuando en cuando o desviaba astutamente las riendas con su peso para indicar a Buck el camino. Buck no tardó en aprender y, con las enseñanzas combinadas de sus dos camaradas y de François, pronto hizo extraordinarios progresos. Antes de que regresaran al campamento ya sabía que había que pararse con un «¡so!», avanzar con un «¡arre!», tomar las curvas bien abiertas, y mantenerse alejado del perro de varas cuando el trineo cargado bajaba a toda velocidad una pendiente.

—Tges peggos buenísimos —dijo François a Perrault—. Ese Buck tigga como demonio. Yo enseñarle muy pgonto.

Esa tarde, Perrault, que tenía prisa por ponerse en camino con el correo, regresó con otros dos perros. Dijo que se llamaban Billee y Joe; eran dos hermanos y esquimales de pura cepa. Pero, aunque fueran hijos de la misma madre, eran tan distintos como el día y la noche. Billee tenía el defecto de ser en exceso amable, mientras Joe era justo lo contrario: hosco e introvertido, siempre gruñendo y de mirada torva. Buck los acogió con mucha camaradería, Dave los ignoró y Spitz se dedicó a pelearse primero con uno y luego con el otro. Billee meneaba la cola en gesto apaciguador, se echó a correr cuando vio que esto no servía de nada y gritó (todavía en tono conciliador) cuando los afilados dientes de Spitz se clavaron en su lomo. Pero por más vueltas que dieran, Spitz siempre se encontraba con que Joe le hacía frente, con la pelambrera erizada, las orejas hacia atrás, la boca torcida y gruñendo, lanzando dentelladas a toda velocidad y con los ojos brillando de manera diabólica; la mismísima encarnación del terror bélico. Tan terrible era su aspecto, que Spitz no tuvo más remedio que renunciar a someterlo y, para disimular su propia incomodidad, se volvió contra el inofensivo y quejumbroso Billee y lo persiguió hasta los confines del campamento.

Al atardecer, Perrault llegó con otro perro, un viejo esquimal, largo, flaco y demacrado, con la cara llena de cicatrices y un solo ojo que parecía avisar de proezas dignas del mayor respeto. Se llamaba Sol-leks, que significa «el iracundo». Como Dave, ni pedía nada, ni daba nada, ni esperaba nada; y cuando caminaba lenta y deliberadamente en medio de todos ellos, hasta el mismo Spitz lo dejaba solo. Tenía una peculiaridad que Buck tuvo la desgracia de descubrir.

No le gustaba que se le acercasen por el lado donde le faltaba el ojo. Buck lo ofendió sin darse cuenta y se enteró de semejante indiscreción por su parte cuando Sol-leks se revolvió contra él y le desgarró el hombro hasta el hueso con una herida de tres pulgadas. Desde entonces, Buck evitó acercárse a él por el lado ciego y nunca más su camaradería se vio alterada. Al parecer, solo tenía una ambición, lo mismo que Dave, y era que lo dejaran en paz; pero, como Buck iba a saber más adelante, ambos tenían otra ambición que era mucho más vital.

Aquella noche Buck se enfrentó con el gran problema de dormir. La tienda, iluminada por una vela, resplandecía acogedoramente en medio de la blanca llanura; y cuando él, con toda naturalidad, se metió dentro, Perrault y François lo acogieron con juramentos y tirándole cacharros de cocina hasta que, reponiéndose de su sorpresa, huyó ignominiosamente al frío exterior. Soplaba un viento que lo atenazaba sin piedad mordiéndole cruelmente el hombro herido. Se echó en la nieve e intentó dormir, pero enseguida la helada le obligó a ponerse en pie tiritando. Triste y desconsolado, anduvo errante por entre las tiendas, percatándose al cabo de que todos los sitios eran igual de fríos. De trecho en trecho se topaba con perros salvajes, pero Buck erizaba la melena y gruñía (pues aprendía a toda velocidad) y lo dejaban pasar sin molestarlo.

Por fin se le ocurrió una idea. Regresaría a ver cómo se las arreglaban sus compañeros de equipo. Cuál no sería su sorpresa al ver que todos habían desaparecido. Volvió a deambular por toda la extensión del campamento buscándolos y luego regresó. ¿Estarían en la tienda? No podía ser, pues de lo contrario a él no lo habrían echado. ¿Dónde demonios estarían? Con el rabo entre las patas y temblando tristemente, se puso a dar vueltas, desorientado, alrededor de la tienda. De repente la nieve cedió bajo sus patas delanteras y se hundió en el suelo. Algo se agitó bajo sus patas. De un salto se echó hacia atrás, crispado y gruñendo, lleno de temor ante lo invisible y lo desconocido. Pero un ladrido amistoso lo tranquilizó y se acercó a investigar. Una bocanada de aire tibio subió hasta su hocico; allí, hecho un ovillo muy calentito bajo la nieve, estaba Billee. Gañó conciliador, se revolvió y agitó en prueba de buena voluntad e incluso se atrevió, en solicitud de paz, a lamer la cara de Buck con su lengua tibia y húmeda.

Otra lección. Así que eso era lo que hacían. Con gran aplomo Buck eligió un sitio y, con muchos aspavientos y derroche de energías, se cavó un agujero. En un periquete, el calor de su cuerpo llenó aquel reducido espacio y se quedó dormido. El día había sido largo y trabajoso y durmió profunda y cómodamente, aunque bufó y ladró y luchó en medio de pesadillas.

No abrió los ojos hasta que lo despertaron los ruidos del campamento, que se espabilaba. De momento no se daba cuenta de dónde estaba. Había estado nevando toda la noche y se hallaba completamente enterrado. Las paredes de nieve lo oprimían por todas partes y de repente lo invadió el terror: el miedo que siente una bestia ante una trampa. Era una señal de que remontaba su propia vida hasta la de sus antepasados; porque él era un perro civilizado, un perro exageradamente civilizado, y en su propia experiencia no había conocido ninguna trampa, con lo cual no podía temerlas. Todos los músculos de su cuerpo se contrajeron espasmódica e instintivamente, los pelos del cuello y del lomo se le pusieron de punta y, con un rugido feroz, salió de un salto a la luz cegadora envuelto en una nube de nieve resplandeciente. Antes de que sus patas tocaran el suelo vio, extendido ante sus ojos, el blanco campamento y se dio perfectamente cuenta de dónde estaba y recordó todo lo que había sucedido desde el momento en que saliera a dar un paseo con Manuel hasta que había cavado un agujero para refugiarse la noche anterior.

Un grito de François acogió su aparición.

—¿No te digo? —gritó el conductor de trineos a Perrault—. Ese Buck apgende de lo más ggápido.

Perrault asintió solemnemente. Como correo del Gobierno canadiense y portador de importantes despachos, le interesaba enormemente hacerse con los mejores perros y estaba encantado de haber conseguido a Buck.

Al cabo de una hora ya había añadido al equipo otros tres esquimales, con lo cual ya tenían nueve perros, y en menos de un cuarto de hora ya iban todos con los arneses puestos y enfilando el sendero que conduce al cañón de Dyea. Buck se alegró de partir y, aunque el trabajo era duro, no le resultaba desagradable. Le sorprendió la animación de todo el equipo, que se le había contagiado; pero aún más sorprendente le parecía el cambio efectuado en Dave y en Sol-leks. Eran otros perros, profundamente transformados por los arneses. Habían perdido toda su pasividad e indiferencia. Eran perros alertas y activos, ansiosos de que el trabajo saliera bien, y se irritaban enormemente cuando algo que provocase retraso o confusión dificultaba dicho trabajo. Trabajar entre las riendas parecía ser la máxima aspiración de su ser, toda la razón de sus vidas y lo único que les daba placer.

Dave iba en varas, o de perro de trineo; y delante iba Buck y luego Sol-leks; el resto del equipo se alineaba en fila india hasta llegar a Spitz, que iba en cabeza.

A Buck lo habían colocado a propósito entre Dave y Sol-leks para que fuera aprendiendo. Si el uno era discípulo aventajado, los otros eran hábiles maestros, que nunca lo dejaban mucho rato en un error y reforzaban sus enseñanzas con sus afilados dientes. Dave era honrado y muy prudente. Nunca mordía a Buck sin motivo, pero nunca dejó de morderlo cuando necesitaba corrección. Como el látigo de François lo respaldaba, Buck decidió que más valía enmendarse que contraatacar. Una vez, tras un breve descanso, se enredó en los tiros y demoró la partida; Dave y Sol-leks se le echaron encima y le dieron una buena tunda. Resulta que se produjo un enredo mucho mayor, pero de ahí en adelante Buck tuvo buen cuidado de mantener las correas ordenadas. Y antes de que se acabase el día había dominado tan bien este arte, que sus compañeros apenas tenían que hostigarle. El látigo de François restallaba con menos frecuencia y hasta Perrault hizo a Buck el honor de levantarle las patas y examinárselas con cuidado.

Costó un día a marchas forzadas llegar al cañón, cruzando el Campamento de las Ovejas, más allá de las Scales y la linde de los árboles, a través de glaciares y ventisqueros profundísimos y por encima de la gran línea divisoria de Chilcoot, que separa el agua salada de la dulce y guarda celosamente el triste y desolado Norte. Llevaban una buena marcha cuando bajaban por la cadena de lagos que llenan los cráteres de extintos volcanes y, ya bien entrada la noche, llegaron al enorme campamento que hay en la cabecera del lago Bennett, donde miles de buscadores de oro se dedicaban a construir barcos para cuando llegaran los deshielos primaverales. Buck se cavó un agujero en la nieve y durmió el sueño de los justos agotados, pero a la mañana siguiente, tempranísimo, lo sacaron de su fría oscuridad y lo engancharon con sus compañeros al trineo.

Aquel día hicieron cuarenta millas, pues la pista estaba firme; pero al día siguiente y muchos de los posteriores tuvieron que irse abriendo camino, y eso les costaba más trabajo, con lo cual no mantuvieron tan buena marcha. Por lo general, Perrault iba por delante de la expedición pisando la nieve con raquetas para facilitarles el trabajo. François, que guiaba el trineo con la palanca de mando, a veces cambiaba el puesto con él, aunque no con mucha frecuencia. Porque Perrault tenía prisa y se jactaba de su pericia en el hielo, conocimiento que resultaba indispensable porque la capa de hielo en otoño era muy delgada y en los lugares donde había agua corriente ni siquiera había hielo.

Día tras día, incansablemente, Buck se afanaba en el tiro. Siempre se ponían en camino cuando aún era de noche y las primeras luces del amanecer los encontraban ya batiendo las pistas y con un buen recorrido tras ellos. Y siempre acampaban bien entrada la noche, comían un poco de pescado y se bajaban a dormir a sus agujeros bajo la nieve. Buck estaba famélico. La libra y media de salmón seco, que era la ración que le daban al día, no le llegaba a un diente. Nunca quedaba saciado y continuamente padecía retortijones de hambre. Sin embargo, los demás perros, como eran de menor tamaño y estaban acostumbrados a esa vida, solo recibían una libra de pescado y se las arreglaban para mantenerse en forma.

Pronto perdió la delicadeza de sus costumbres anteriores. Comedor refinado, se encontró con que sus compañeros, que acababan primero, le robaban los restos de su ración. No había manera de defenderse. Mientras peleaba con dos o tres, los demás se la tragaban. Así que para evitarlo tenía que comer tan deprisa como ellos; y tanto le acuciaba el hambre que no pudo resistirse a coger lo que no le pertenecía. Observaba y aprendía. Cuando vio que Pike, uno de los perros nuevos, un haragán astuto y ladrón, robaba taimadamente una loncha de tocino mientras Perrault estaba de espaldas, al día siguiente Buck emuló la hazaña llevándose el tocino entero. Se armó un gran revuelo, pero nadie sospechó de él; y a Dub, un patoso incorregible que siempre se metía en líos, lo castigaron por la fechoría de Buck.

Este primer robo fue la prueba de que Buck era apto para sobrevivir en el hostil ambiente de las tierras del Norte. Indicaba su adaptabilidad, su capacidad para acomodarse a condiciones cambiantes, cuya carencia habría significado una muerte rápida y terrible. Y además indicaba la degeneración o resquebrajamiento de sus valores morales, cosa vana y un obstáculo en la despiadada lucha por la existencia. Todo ello estaba muy bien en el Sur, donde reinaba la ley del amor y el compañerismo y donde se respetaba la propiedad privada y los sentimientos personales; pero en las tierras del Norte, bajo la ley del garrote y el colmillo, el que tuviera aquellas cosas en cuenta era un necio y mientras las respetase no podrá prosperar.

No es que Buck razonase así. Estaba sano, y nada más; e inconscientemente se acomodaba a su nuevo estilo de vida. Nunca hasta entonces había rehuido una pelea por desventajosa que pudiera parecerle. Pero el garrote del hombre del jersey rojo le había enseñado un código más elemental y primitivo. Mientras vivía en la civilización, habría sido capaz de morir por cualquier principio moral; por ejemplo, por defender la fusta del juez Miller; pero su rechazo total de la civilización se ponía ahora de manifiesto al sentirse capaz de eludir una consideración moral con tal de salvar el pellejo. No robaba por el placer de hacerlo, sino porque el estómago se lo exigía. No robaba abiertamente, sino con astucia y sigilo, por temor al garrote y al colmillo. En resumen, las cosas que hacía las hacía porque era más fácil hacerlas que no hacerlas.

Su desarrollo (o regresión) fue veloz. Sus músculos se endurecieron como el hierro, y se volvió insensible al dolor normal. Consiguió una economía interna y además externa. Era capaz de comer cualquier cosa, por repugnante o indigerible que pareciera; y, una vez que la había comido, los jugos de su estómago extraían de aquello hasta la última partícula nutritiva; y su sangre la llevaba hasta los rincones más recónditos de su cuerpo, transformándola en los tejidos más duros y resistentes. Su vista y su olfato se afinaron sobremanera, y su oído se hizo tan agudo que podía oír el menor sonido mientras dormía y discernir si era anuncio de paz o de peligro. Aprendió a arrancarse a mordiscos el hielo que se le acumulaba entre los dedos; y cuando tenía sed y el agujero del agua estaba cubierto por gruesas espumas heladas, sabía romperlas poniéndose sobre las patas traseras y golpeando el hielo con las delanteras. El rasgo que lo destacaba era la capacidad que tenía para olfatear el viento y predecir su rumbo con una noche de anticipación. Aunque no se moviera un soplo de aire, cuando cavaba su refugio junto a un árbol o cerca de un talud, el viento que luego se levantaba siempre lo encontraba a sotavento, bien guarecido y abrigado.

Y no solo la experiencia era su maestra, sino que revivieron en él algunos de los instintos que ya llevaban mucho tiempo muertos. Se liberó de generaciones de vida doméstica. De modo vago rememoraba los primeros tiempos de su raza, cuando los perros salvajes corrían en manadas por los bosques primitivos y mataban a su presa cuando tenían hambre. No le costó trabajo aprender a matar a dentelladas y golpes rápidos de lobo. Así habían luchado sus olvidados antepasados. Se aceleraron las antiguas costumbres latentes dentro de su ser y adoptó los ardides antiguos que ellos habían impreso en los herederos de la raza. Se le revelaron sin esfuerzo ni búsqueda, como si siempre hubieran sido los suyos propios. Y cuando, todavía en las noches frías, alzaba el hocico hacia una estrella y lanzaba un aullido largo y alobunado, en él revivían sus antepasados, ya muertos y convertidos en polvo, apuntando a una estrella y aullando durante siglos hasta su existencia presente. Las cadencias de Buck eran las suyas, cadencias que expresaban su dolor y su sentimiento ante el silencio, el frío y la oscuridad.

Y como la vida no es más que un teatro de marionetas, la antigua balada brotaba de él y se hacía suya de nuevo; y todo porque los hombres habían encontrado un metal amarillo en las tierras del Norte y porque Manuel era un ayudante de jardinero cuyo salario no bastaba para cubrir las necesidades de su mujer y algunos asuntillos propios.

La dominante bestia primitiva

La dominante bestia primitiva era fuerte en Buck y, bajo las terribles condiciones de la vida sobre las pistas, todavía se reforzó más, aunque crecía en secreto. Su astucia recién adquirida le dio aplomo y control. Estaba demasiado ocupado adaptándose a su nueva vida como para sentirse cómodo, y no sólo no se metía en peleas, sino que las evitaba cuando podía, y además deliberadamente. No era propenso a actuar precipitada e impulsivamente; y a pesar del odio amargo que había entre él y Spitz nunca dio muestras de impaciencia y evitó ofenderlo.

Por otra parte, acaso por presentir que Buck era un poderoso rival, Spitz nunca perdía la ocasión de enseñarle los dientes. Se esforzó repetidamente en intimidarlo, empeñándose sin cesar en empezar una pelea que habría de acabar irremisiblemente con la muerte de uno de los dos.

Al principio del viaje estuvo a punto de producirse esta circunstancia, pero un accidente inesperado la evitó. Al final de ese día acamparon en un lugar desolado y mísero a orillas del lago Le Barge. La fuerte nevada, un viento que cortaba como un cuchillo al rojo vivo y la oscuridad los obligaron a buscar a ciegas un lugar donde acampar. Y no lo podían haber encontrado peor. A sus espaldas se elevaba un muro perpendicular de roca, y Perrault y François se vieron obligados a hacer una hoguera y extender los sacos de dormir sobre el mismo lago helado. En Dyea habían abandonado la tienda para viajar con menos peso. Con unas astillas hicieron un fuego que derritió el hielo y se apagó, con lo cual tuvieron que cenar a oscuras.

Allí cerca, bajo la protección de la roca, cavó Buck su nido. Tan cómodo y calentito se encontraba en él, que le costó un esfuerzo salir cuando François repartió el pescado que acababa de descongelar sobre la lumbre. Pero, cuando Buck terminó su ración y regresó a él, se encontró con que su refugio estaba ocupado. Un bufido amenazador le avisó de que el intruso era Spitz. Hasta ese momento Buck había evitado enfrentarse a su enemigo, pero aquello ya era demasiado. La bestia que había en él se sublevó. Saltó sobre Spitz con una rabia que sorprendió a ambos, pero sobre todo a Spitz, pues su experiencia con Buck le había demostrado que su rival era un perro extraordinariamente tímido, que conseguía salir adelante gracias a su gran peso y tamaño.

A François también le sorprendió verlos salir del cubil deshecho, enzarzados en una pelea, y adivinó el motivo de la misma.

—¡Hala! —le gritó a Buck—. ¡Dale bien duggo! ¡Cáscale bien a ese ceggdo ladgón!

Spitz también estaba lanzado. Aullaba con rabia y ansiedad, girando y retrocediendo en busca de una ocasión para atacar. Buck no estaba menos ansioso ni era menos cauteloso; así que giraba de un lado para otro buscando una ventaja. Pero entonces sucedió algo imprevisto, algo que aplazaría su lucha por la supremacía hasta un momento futuro, tras muchas millas de trabajo agotador sobre las pistas.

Una maldición de Perrault, el seco impacto de un garrote sobre un cuerpo huesudo y un penetrante gemido de dolor fueron el anuncio del estruendo que se originó a continuación. De pronto el campamento apareció poblado por acechantes formas peludas: casi un centenar de perros esquimales hambrientos que habían husmeado el campamento desde algún poblado indio. Se habían acercado furtivamente mientras Buck y Spitz peleaban y, cuando los dos hombres se plantaron en medio de ellos blandiendo sus gruesos garrotes, les enseñaron los dientes y les hicieron frente. El olor a comida los había enloquecido. Perrault encontró a uno con la cabeza metida en el cajón de provisiones. Descargó un garrotazo sobre sus flacas costillas y el cajón de provisiones rodó por el suelo. Al instante, una veintena de bestias famélicas se disputaban el pan y el tocino. Los garrotazos les llovían por todas partes y gemían y aullaban bajo los golpes, pero seguían peleando como locos hasta devorar la última migaja.

Entretanto, los asombrados perros del equipo habían salido de sus cobijos y se vieron agredidos por los feroces invasores. Buck nunca había visto perros como aquellos. Parecía que los huesos les iban a perforar el pellejo. No eran más que esqueletos envueltos en sucias pieles, con ojos resplandecientes y babeantes colmillos. Pero la locura del hambre los volvía espantosos e irresistibles. No había manera de hacerles frente. Al primer ataque los perros del equipo quedaron acorralados contra el talud. A Buck lo acosaban tres perros esquimales y en un momento tuvo la cabeza y los hombros cubiertos de rasguños y desgarrones. El estruendo era espantoso. Billee gemía como de costumbre. Dave y Sol-leks, sangrando por un sinfín de heridas, luchaban valientemente uno al lado del otro. Joe daba dentelladas como un demonio. En una de ellas, sus dientes agarraron la pata delantera de un esquimal y se la trituraron hasta el hueso. Pike, el taimado, saltó sobre el animal herido y le quebró el cuello de un mordisco y un tirón. Buck agarró a un baboso adversario por la garganta y se salpicó de sangre cuando sus dientes le cercenaron la yugular. El tibio sabor de la sangre en su boca le provocó una ferocidad mayor. Se abalanzó sobre otro, sintiendo al mismo tiempo que unos dientes se le clavaban en su propia garganta. Era Spitz, que le atacaba a traición por el otro lado.

Perrault y François, que habían dejado expedito el campamento por su parte, acudieron a salvar a sus perros de trineo. La salvaje oleada de bestias famélicas retrocedió ante ellos y Buck pudo soltarse, pero solo fue durante un instante. Los dos hombres tuvieron que volver corriendo a proteger las provisiones y los perros esquimales aprovecharon para atacar de nuevo al equipo. Billee, con el valor que da el terror, saltó sobre el círculo feroz y logró huir sobre la superficie helada. Pike y Dub lo siguieron, pisándole los talones, y el resto del equipo siguió su ejemplo. Cuando Buck se disponía a saltar tras ellos, vio por el rabillo del ojo que Spitz se abalanzaba sobre él con la evidente intención de derribarlo. Si caía, se encontraría bajo aquella manada de perros esquimales sin ninguna esperanza de salir con vida. Pero aguantó a pie firme la embestida de Spitz y luego huyó velozmente hacia el lago.

Posteriormente, los nueve perros del equipo se reunieron para buscar refugio en el bosque. Aunque ya no los perseguían, se hallaban en un estado lastimoso. Todos sin excepción tenían heridas en cuatro o cinco sitios distintos, y algunas, de gravedad. Dub tenía una pata trasera en muy malas condiciones; Dolly, el último perro esquimal que habían añadido al equipo en Dyea, tenía un gran tajo en el cuello; Joe había perdido un ojo, y el buenazo de Billee, con una oreja mordida y hecha jirones, se pasó la noche gimiendo y quejándose. Al amanecer regresaron cautelosamente al campamento y se encontraron con que los intrusos se habían marchado y los dos hombres estaban de mal humor. Habían perdido más de la mitad de las provisiones. Los perros esquimales habían roído las ataduras y las capotas del trineo. La verdad es que no habían dejado nada, por poco comestible que pareciera. Se habían comido un par de mocasines de piel de alce de Perrault, trozos del cuero de las correas e incluso medio metro de látigo de François. Este interrumpió la triste contemplación de estos desmanes para echar un vistazo a sus perros hèridos.

—¡Ay, mis amigos! —dijo suavemente—. Puede que vosotgos locos con tantos mogdiscos. Puede que todos peggos locos. *¡Sacredam!* ¿Tú qué cgees, eh, Perrault?

El correo meneó la cabeza con gesto de duda. Le quedaban cuatrocientas millas de camino para llegar a Dawson; mal podía permitirse que se declarara la rabia entre sus perros. Al cabo de dos horas de jurar y pelear con los arneses acabaron por arreglarlos y el maltrecho equipo se puso en camino avanzando con dificultad sobre el tramo más difícil que hasta entonces se habían encontrado y, realmente, el peor que les quedaba por recorrer hasta llegar a Dawson.

El río Thirty Mile* no se había helado. Sus bravas aguas se negaban a congelarse y sólo en los remolinos y en los remansos se había formado un poco de hielo. Tardaron seis agotadores días en recorrer aquellas terribles treinta millas, terribles en verdad, pues cada tramo de ellas constituía un peligro para la vida de perros y hombres. Una docena de veces, Perrault, que abría la marcha, sintió que el hielo se quebraba bajo sus pies y se salvó gracias a la pértiga que llevaba y que mantenía de tal forma, que siempre quedaba atravesada sobre el agujero que había formado su cuerpo. Pero el frío arreciaba y el termómetro registraba cincuenta grados bajo cero** y, cada vez que se rompía el hielo, Perrault tenía que hacer una hoguera y secarse la ropa.

---

* *Thirty Mile,* en inglés, quiere decir «treinta millas».

** Se trata de grados Fahrenheit, que equivaldrían a unos 45 grados centígrados bajo cero.

No se arredraba ante nada y por eso le habían elegido como correo del Gobierno. Afrontaba cualquier riesgo, avanzando resueltamente con su carilla arrugada en medio del viento helado y trabajaba sin descanso desde las primeras luces del amanecer hasta que se hacía de noche. Recorría las peligrosas orillas, donde el hielo era tan fino, que se hundía y se quebraba bajo sus pies y sobre cuya superficie no se atrevían a detenerse. En una ocasión se hundió el trineo con Dave y Buck, que casi perecieron congelados y a los que sacaron del agua medio ahogados. Como siempre, hubo que encender una hoguera para salvarlos. Estaban cubiertos de una dura capa de hielo y los dos hombres los hicieron correr alrededor del fuego, sudando, hasta que se les derritió el hielo, y tan cerca de las llamas que llegaron a chamuscarlos.

En otra ocasión fue Spitz el que se hundió, arrastrando tras de sí a todo el equipo menos a Buck, que frenó la caída con todas sus fuerzas, con las patas delanteras aferradas al borde resbaladizo y el hielo quebrándose y hundiéndose a su alrededor. Pero detrás de Buck estaba Dave, que también contuvo la caída, y detrás del trineo se hallaba François tirando con tal fuerza que se oían crujir sus tendones.

Otra vez sucedió que la superficie helada se rompió por delante de ellos y por detrás y no les quedaba otra escapatoria más que ascender por la pared rocosa. Perrault la escaló de puro milagro, mientras François rezaba para que dicho milagro se produjera; y entonces trenzaron con todas las correas y pedazos de tirantes del trineo y los restos de los arneses una cuerda larga y, amarrados a ella, subieron a los perros, uno por uno, hasta la cima del precipicio. Luego izaron el trineo y su carga y por último subió François. Y entonces hubo que buscar un lugar por donde volver a bajar, y el descenso se efectuó mediante la cuerda; así que al llegar la noche volvían a encontrarse en el río y no habían conseguido avanzar en todo el día más que un cuarto de milla.

Para cuando llegaron al Hootalinqua, donde el hielo estaba en buenas condiciones, Buck se encontraba extenuado. El resto de los perros se encontraba más o menos como él, pero Perrault, para recuperar el tiempo perdido, los hacía trabajar de sol a sol. El primer día cubrieron treinta y cinco millas hasta el Big Salmon y al día siguiente otras treinta y cinco hasta el Little Salmon; el tercer día hicieron cuarenta millas, con lo cual llegaron bastante cerca del Five Fingers.

Los pies de Buck no eran tan compactos ni estaban tan endurecidos como los de los perros esquimales. Los suyos se habían ido reblandeciendo a través de muchas generaciones desde que al último de sus antepasados en estado salvaje lo había domesticado un habitante de las cavernas o un hombre del río. Se pasaba todo el día cojeando penosamente y, cuando llegaba el momento de acampar, se echaba al suelo como si estuviera muerto. A pesar del hambre, no era capaz de levantarse para ir a buscar su ración de pescado y François tenía que acercársela. Además, el perrero frotaba los pies de Buck durante media hora, todas las noches después de cenar, y sacrificó la parte alta de sus mocasines para hacerle cuatro zapatitos a Buck. Esto lo alivió mucho e incluso Buck consiguió que en la arrugada cara de Perrault se esbozara una sonrisa cuando, una mañana, François se olvidó de calzarlo y Buck se tendió en el suelo de espaldas, agitando las cuatro patas en el aire, y se negó a moverse hasta que no le pusieran los mocasines. Con el tiempo, sus pies se acostumbraron a las pistas y acabaron por tirar los gastados zapatos.

Una mañana, a orillas del Pelly, Dolly, que nunca se había destacado por nada, de repente se volvió loca. Anunció su estado con un aullido alobunado, largo y acongojante, que hizo que los pelos de los perros se erizasen de pavor, y luego se abalanzó sobre Buck. Éste nunca había visto un perro rabioso ni tenía razón alguna para tener la locura, pero se dio cuenta de que aquello era terrible y huyó aterrorizado. Salió disparado y Dolly, jadeante y babosa, le pisaba los talones; y tan espantado corría él que ella no llegaba a darle alcance, aunque tan furiosa corría ella que tampoco él conseguía alejarse. Se adentró por el bosque que había en la parte más elevada de la isla, salió por el bajío de la punta, atravesó un canal helado para alcanzar otra isla y luego una tercera, giró hacia el río principal y, desesperado, empezó a cruzarlo. Todo este tiempo, aunque no la veía, la oía gruñir a un paso detrás de él. A un cuarto de milla de distancia oyó que François lo llamaba y retrocedía hacia él, sintiendo que la perra lo perseguía de cerca; se encontraba sin resuello, pero confiaba ciegamente en que François lo salvaría. El perrero sostenía serenamente el hacha en una mano y, nada más pasar Buck a toda velocidad ante él, el hacha se abatió sobre la cabeza de la enloquecida Dolly.

Buck cayó tambaleándose contra el trineo, exhausto, jadeante, impotente. Aquella era la oportunidad que esperaba Spitz. Se abalanzó sobre Buck y clavó dos veces los dientes en su indefenso enemigo, desgarrándole la carne hasta el hueso. Entonces se oyó restallar el látigo de François y Buck tuvo la satisfacción de contemplar cómo Spitz recibía la paliza mayor que hasta entonces se había dado a ningún perro del equipo.

—Un demonio, ese Spitz —comentaba Perrault—. Un día él matagg al Buck.

—Dos demonios, ese Buck —le contestó François—. Todo el ggato obsegvo a Buck y sé lo que va a pasagg. Migga: un buen día al Buck se le van a hinchagg las naggices y va a machacagse al Spitz y a vomitaglo en la nieve. Seguggo. Yo lo sé.

De ahí en adelante se declaró la guerra entre ambos perros. Spitz, como perro-guía y reconocido jefe del equipo, sentía su supremacía amenazada por aquel extraño perro sureño. Y en verdad Buck le parecía extraño, pues ninguno de los numerosos perros sureños que había conocido había llegado a dar resultado en la vida de campamento ni en las pistas. Todos eran demasiado blandos y morían de agotamiento, de frío o de hambre. Buck era la excepción. Solo él consiguió sobrevivir y adaptarse, llegando a igualarse a los perros esquimales en fuerza, ferocidad y astucia. Además era un perro dominador, y el hecho de que el garrote del hombre del jersey rojo hubiera suprimido en él la loca temeridad de sus deseos de dominio, lo hacía aún más peligroso. Era predominantemente astuto y capaz de aguardar el momento oportuno con una paciencia que era sin duda la original de su especie.

Era inevitable que se produjera la lucha por el mando. Buck buscaba la ocasión, con un deseo natural, porque había caído en las redes de ese incomprensible y desconocido orgullo que surge en las pistas y en las riendas, orgullo que mantiene a los perros aferrados a su tarea hasta que exhalan el último suspiro, que los induce a morir alegremente atados a los arneses y les parte el alma si los alejan de este tipo de vida. Era el orgullo que sentía Dave como perro de varas y el de Sol-leks cuando tiraba delante de todos con todas sus fuerzas; el orgullo que se apoderaba de ellos en cuanto levantaban el campamento y transformaba a aquellas bestias hoscas y taciturnas en animales esforzados, vehementes y ambiciosos; el orgullo que los espoleaba durante todo el día y luego los abandonaba al borde del campamento cada noche, dejándolos sumidos en un desasosiego y en un descontento taciturnos. Era el orgullo que animaba a Spitz y hacía martirizar a los perros de tiro que patinaban o ganduleaban sobre las pistas o se escondían a la hora de ponerse los arneses por la mañana. Era el mismo orgullo que le hacía temer a Buck como posible perro-guía. Y éste era también el orgullo de Buck.

Amenazaba abiertamente el liderazgo del otro perro. Se interponía entre él y los remolones que debería castigar. Y lo hacía deliberadamente. Una noche cayó una gran nevada y por la mañana el taimado de Pike no aparecía. Estaba bien escondido en su refugio con más de un palmo de nieve por encima. François lo llamaba y lo buscaba en vano. Spitz estaba furiosísimo. Recorrió el campamento como un loco, buscando y escarbando en los puntos que le parecían más propicios, y gruñendo con tal rabia que Pike lo oyó y se estremeció en su escondite.

Pero cuando al fin dieron con él y Spitz se abalanzó para castigarlo, Buck se interpuso con la misma furia entre los dos. El salto fue tan inesperado, y tan hábilmente conseguido, que Spitz, perdiendo el equilibrio, cayó hacia atrás. Pike, que hasta entonces había estado temblando como un cobarde, cobró ánimos ante la rebeldía declarada de Buck, y saltó sobre su jefe derribado. Buck, que ya había olvidado las reglas del juego limpio, también se echó sobre Spitz. Pero François, al que el incidente le hizo gracia, no dejaba de estar siempre dispuesto a administrar justicia y descargó su látigo sobre Buck con todas sus fuerzas. Como ni por esas Buck dejaba en paz a su postrado enemigo, el hombre utilizó el mango del látigo. Medio atontado por el golpe, Buck cayó de espaldas y aguantó un buen número de latigazos mientras Spitz castigaba a conciencia al incorregible Pike.

El resto de los días, y según se acercaban a Dawson, Buck siguió interponiéndose entre Spitz y los culpables; mas lo hacía astutamente, cuando François no estaba por allí. Como consecuencia de la encubierta rebelión de Buck, se produjo una insubordinación general que fue propagándose entre los perros. A Dave y a Solleks no les afectó, pero el resto del equipo iba de mal en peor. Las cosas no marchaban. Continuamente se producían riñas y alborotos. A cada momento surgían problemas y en el fondo de todos ellos estaba Buck. François se mantenía alerta, pues el perrero temía constantemente la lucha a muerte que sabía inevitable entre los dos perros tarde o temprano; y más de una noche hubo de salir de su saco de dormir al oír las peleas entre otros perros, temeroso de que Buck y Spitz se hubieran enfrentado.

Pero la oportunidad no llegó a presentarse y así llegaron a Dawson en una tarde gris, con la gran pelea aún pendiente. Allí había muchos hombres e innumerables perros y Buck se los encontró a todos trabajando. Parecía como si en el orden natural de las cosas estuviera dispuesto que los perros tuvieran que trabajar. Durante todo el día recorrían incesantemente la calle principal atados en largos tiros y por la noche aún se podían oír sus cascabeleos. Arrastraban maderos para la construcción y leña para el fuego, acarreaban material de las minas y realizaban todas las tareas que en el valle de Santa Clara desempeñaban los caballos. De cuando en cuando Buck se encontraba con un perro sureño, pero la mayor parte de ellos pertenecía a la raza salvaje de los alobunados perros esquimales. Todas las noches, con regularidad, a las nueve, a las doce y a las tres, entonaban un canto nocturno, una balada mágica y extraña a la que Buck se unía encantado.

Tanto si la aurora boreal los iluminaba con su frío resplandor como si las estrellas retozaban en una danza heladora, mientras la tierra yacía inerte bajo un manto de nieve, aquel canto de los perros esquimales podía haber significado un desafío de la vida; pero se emitía en tono menor, con prolongados gemidos y sollozos insinuados, y era más bien un lamento de vivir, la expresión del dolorido trabajo de la existencia. Era una tonada antigua, tan antigua como la misma especie, una de las primeras baladas de un mundo más joven, en aquellos tiempos en que las canciones eran de tristeza. Iba impregnada por el dolor de incontables generaciones y esta queja conmovía extrañamente a Buck. Cuando gemía y sollozaba, lo hacía con el dolor de estar vivo, que era el dolor ancestral de sus antepasados en libertad y a la vez el temor y el misterio que le provocaba el frío y la oscuridad, que también para ellos había significado temor y misterio. Y el hecho de que esto lo conmoviera tan profundamente era indicio de que había retrocedido, a través de siglos de vida domesticada, hasta los primitivos comienzos de la vida en los tiempos de los aullidos.

A los siete días de haber llegado a Dawson, bajaron el empinado talud de los Barracks hasta la pista del Yukón, dirigiéndose hacia Dyea y Salt Water. Perrault llevaba mensajes si cabe más urgentes que los que acababa de traer; además, presa de saberse un correo inigualable, estaba dispuesto a batir la marca de velocidad de aquel año. Y a ello lo ayudaban varios factores. La semana de descanso había permitido que los perros se recuperaran y estaban en excelente forma. La pista que habían abierto campo a través luego la habían pisado y endurecido otros viajeros que llegaron tras ellos. Y, además, la Policía había dispuesto, en dos o tres puntos de la ruta, depósitos de alimentos para perros y hombres, con lo cual podía viajar con menos peso.

Llegaron a Sixty Mile, que está a cincuenta millas de distancia, en un día; en la segunda jornada ya iban subiendo por el Yukón camino de Pelly. Pero aquella velocidad extraordinaria se conseguía solo gracias a los grandes esfuerzos y muchas tribulaciones que tuvo que padecer François. La insidiosa rebelión encabezada por Buck había destruido la solidaridad del equipo. Ya no corrían como un solo perro sobre las pistas. El apoyo que Buck prestaba a los rebeldes los inducía a cometer todo tipo de mezquinas fechorías. Spitz ya no era un jefe muy temible. No le tenían miedo y todos rivalizaban a la hora de poner a prueba su autoridad. Pike le robó una noche medio pescado y se lo tragó bajo la protección de Buck. Otra noche, Dub y Joe se enfrentaron a Spitz y tuvo que renunciar a castigarlos como se merecían. Y hasta el buenazo de Billee era menos buenazo y no bufaba tan conciliadoramente como antes. Buck nunca se acercaba a Spitz sin gruñir y erizar el pelo amenazadoramente. De hecho se portaba casi como un matón y se dedicaba a pavonearse de arriba abajo en las mismísimas narices de Spitz.

La ruptura de la disciplina afectó también a los perros en sus relaciones entre sí. Reñían y se peleaban más que nunca, hasta el punto de que a veces el campamento se sumía en una espantosa algarabía de aullidos. Solo Dave y Sol-leks permanecían impasibles, aunque algo irritables a causa de las interminables disputas. François lanzaba extraños y bárbaros juramentos, mientras pateaba con furia inútil la nieve y se tiraba del pelo. El látigo silbaba sin parar por entre los perros, pero de nada servía. En cuanto se daba la vuelta, volvían a las andadas. Respaldaba a Spitz con su látigo, pero Buck apoyaba al resto del equipo. François sabía que Buck era el causante de todos los problemas, y Buck sabía que François lo sabía; pero el perro era demasiado listo para dejarse pillar con las manos en la masa. Trabajaba con empeño en el tiro, pues la tarea le resultaba en extremo agradable; pero aún le gustaba más provocar disimuladamente una pelea entre sus compañeros y hacer que se enredasen las riendas.

En la desembocadura del Tahkeena, una noche después de cenar, Dub avistó un conejo de las nieves, pero se le escapó y no logró atraparlo. Al momento, todo el equipo estaba en pie de guerra. A unos cien metros de ellos había un campamento de la Policía del Noroeste, con cincuenta perros, todos ellos esquimales, que se sumaron a la persecución. El conejo salió disparado río abajo, enfiló hacia uno de sus brazos y siguió corriendo por su lecho helado. Huía velozmente por la superficie de nieve, mientras los perros se abrían camino por el centro del río principal. Buck iba en cabeza y le seguían unos sesenta perros, curva tras curva, pero no conseguía darle alcance. Corría que se las pelaba, gimiendo ansiosamente, con su hermoso cuerpo que centelleaba a cada salto que daba bajo la pálida y blanca luz de la luna. Y salto a salto, como un pálido espectro de hielo, el conejo centelleaba por delante de él.

Toda esa conmoción de antiguos instintos que, en momentos determinados, induce a los hombres a salir de las ruidosas ciudades y dirigirse a bosques y llanuras, con el propósito de matar a otros seres con proyectiles de plomo impulsados químicamente, las ansias de sangre, la alegría de matar: todo ello lo sentía Buck, pero de una manera muy profunda. Corría al frente del grupo, persiguiendo la bestezuela, la carne viva, para matarla con sus propios dientes y empaparse los hocicos hasta los ojos en sangre tibia.

Hay un éxtasis que señala la cúspide de la vida y por encima del cual no puede elevarse esta. Y lo paradójico de la vida es que este éxtasis se produce cuando uno está más vivo y se olvida absolutamente de que lo está. Este éxtasis, este olvido de la existencia, se produce en el artista, atrapándolo y sacándolo de sí en una llama de pasión; se produce en el soldado, ebrio de guerra en un campo desolado cuando lucha sin cuartel; y se produjo en Buck cuando encabezaba el grupo, entonando el antiguo grito alobunado, y perseguía aquella presa viva que se le escapaba velozmente a la luz de la luna. Sondeaba la profundidad de su naturaleza, y las partes de su naturaleza que eran más profundas que él, regresando hasta las entrañas del tiempo. Le dominaba el flujo poderoso de la vida, la marea de la existencia, el goce perfecto de cada uno de sus músculos, de sus articulaciones y de sus nervios, en tanto que representaban algo que no estaba muerto, sino vivo y exuberante, y se expresaba mediante el movimiento, volando exultante bajo las estrellas y sobre la faz de una sustancia muerta que no se movía.

Pero Spitz, frío y calculador aun en sus momentos más exaltados, dejó la jauría y tomó un atajo atravesando una estrecha franja de tierra por donde el brazo del río trazaba una amplia curva. Buck no lo sabía y, al salir de la curva, persiguiendo todavía aquel nevado espectro conejil que revoloteaba por delante de él, pudo ver otro espectro nevado, de mayor tamaño, que saltaba desde el talud que dominaba el río e interceptaba la trayectoria del conejo. Era Spitz. El conejo no pudo retroceder y, cuando los blancos dientes le quebraron el espinazo en medio de un salto, chilló con un grito tan fuerte que podía haber sido el de un hombre herido. Al oírlo, al oír el grito de la vida que se hunde desde el ápice de la vida en las garras de la muerte, toda la jauría que corría tras Buck lanzó un aullido infernal de gozo.

Pero Buck no gritó. No se detuvo, sino que se lanzó sobre Spitz, hombro contra hombro, y con tal violencia que no le acertó en el cuello. Rodaron juntos por la nieve en polvo. Spitz se puso tan velozmente en pie que pareció que no había llegado a caer, le asestó a Buck una dentellada en el hombro y se echó hacia atrás. Apretó bien fuerte los dientes dos veces, como si fueran las mandíbulas de acero de un cepo, mientras retrocedía para mejor afianzarse, y de sus flacos labios retorcidos se escapó un bufido.

De repente Buck se dio cuenta: había llegado el momento. La lucha sería a muerte. Mientras giraban en círculos, gruñendo, con las orejas hacia atrás, atentos a la posibilidad de sacar ventaja, la escena le resultó a Buck en cierto modo familiar. Le pareció recordarlo todo: los bosques blancos y la tierra, el resplandor de la luna y la emoción del combate. Una calma fantasmal se cernía sobre aquella blancura silenciosa. No se oía el más mínimo susurro del viento, nada se movía, ni una hoja temblaba; solo el aliento de los perros se elevaba lentamente y quedaba suspendido en el aire helado. Habían dado buena cuenta del conejo aquellos perros que eran más bien lobos medio domesticados; y ahora se agrupaban en un círculo expectante. También ellos se mantenían en silencio y solo los ojos les relucían, y el pecho se elevaba lentamente. A Buck no le pareció ni nueva ni extraña aquella escena de tiempos remotos. Era como si siempre hubiera sucedido aquello; era el estado natural de las cosas.

Spitz era un luchador experimentado. Desde Spitzbergen hasta el Ártico, y por todo Canadá y los Barren, siempre se había salido con la suya frente a los demás perros, llegando a imponerles su supremacía. Era capaz de una rabia feroz, pero no ciega. Su pasión por vencer y destruir nunca le impedía olvidar que su enemigo sentía la misma pasión por vencer y destruir. Nunca embestía hasta que no se sentía capaz de aguantar una embestida; nunca atacaba hasta que no podía afianzar ese ataque.

En vano intentó Buck clavar los dientes en el cuello del gran perro blanco. Siempre que sus colmillos buscaban un trozo de carne blanda se encontraban con los colmillos de Spitz. Spitz cerraba los dientes y los labios de Buck se cortaban y sangraban, pero éste no era capaz de bajar las defensas de su enemigo. Entonces se excitó y envolvió a Spitz en un torbellino de acometidas. Una y otra vez intentó alcanzar aquella garganta, blanca como la nieve, donde la vida burbujeaba a flor de piel; pero una y otra vez Spitz conseguía herirle y esquivarle. Entonces Buck adoptó la actitud de atacarle como si fuera a la garganta y luego retiraba la cabeza y empujaba de costado, hombro contra hombro, como si fuera un ariete, para derribarlo. Pero sólo consiguió nuevas dentelladas en el hombro cada vez que Spitz saltaba ágilmente hacia atrás.

Spitz estaba intacto, mientras Buck jadeaba penosamente y chorreaba sangre. La lucha se hacía desesperante. Y durante todo este tiempo el círculo de lobos silenciosos esperaba para acabar con el perro que llegara a caer. Cuando Buck se fue agotando, Spitz empezó a atacarle, y tuvo que esforzarse por mantener el equilibrio. En una ocasión cayó hacia atrás, y todo el corro de los sesenta perros se dispuso a echarse sobre él; pero logró enderezarse, aún en el aire, y el círculo se detuvo y permaneció a la espera.

Pero Buck poseía una cualidad que suplía la capacidad: imaginación. Combatía instintivamente, aunque también era capaz de hacerlo racionalmente. Se abalanzó, como si fuera a utilizar el truco anterior de empujar con el hombro, pero en el último momento se agachó hasta rozar la nieve. Sus dientes se cerraron sobre la pata delantera izquierda de Spitz. Se oyó un crujido de huesos rotos y el perro blanco le hizo frente sobre tres patas. Intentó por tres veces derribarlo y luego repitió el ardid y le quebró la pata delantera derecha. A pesar del dolor y de su impotencia, Spitz intentó desesperadamente mantenerse en pie. Veía el círculo silencioso, sus ojos resplandecientes y las lenguas colgando, y veía aquellas nubes plateadas de aliento que se elevaban por el aire y que se acercaban a él, como había visto en otras ocasiones círculos semejantes cerrarse sobre vencidos adversarios del pasado. Sólo que esta vez el vencido era él.

No le quedaba ninguna esperanza. Buck era inexorable. El perdón quedaba relegado a climas más suaves. Fue tomando posiciones para el ataque final. El círculo se había cerrado hasta el extremo de que podía sentir el aliento de los perros esquimales a su costado. Los podía ver rodeando a Spitz, medio agazapados y dispuestos a saltar, con la mirada puesta en él. Se hizo una pausa. Todos los animales permanecían inmóviles, como si fueran de piedra. Solo Spitz se estremecía y se erizaba tambaleándose, gruñendo muy amenazadoramente, como si quisiera ahuyentar a la muerte inexorable. Entonces Buck saltó sobre él y se retiró, al caer sobre él, su hombro golpeó de lleno sobre el de Spitz. El círculo oscuro se convirtió en un punto sobre la nieve bañada por los rayos de la luna mientras Spitz desaparecía de la vista. Buck permanecía de pie, observándolo: era el afortunado triunfador, la dominante bestia primitiva que había matado y encontraba el hecho gratificante.

El que se ganó la supremacía

—¿Eh? ¿No te digo? Yo no mentiggoso cuando digo ese Buck es dos demonios.

Así hablaba François a la mañana siguiente al darse cuenta de que faltaba Spitz, y Buck estaba cubierto de heridas. Se lo llevó cerca de la hoguera e iba señalándolas a la luz del fuego.

—Ese Spitz pelea como un diablo —dijo Perrault, mientras examinaba los cortes y las heridas abiertas.

—Y ese Buck pelea como dos diablos —le contestó François—. Ahogga sí que coggeggemos. No más Spitz, no más pgoblemas, seguggo.

Mientras Perrault recogía el equipo de acampar y cargaba el trineo, el perrero se dispuso a poner los arneses a los perros. Buck se colocó en el lugar que hubiera ocupado Spitz como perro-guía; pero François, sin reparar en él, llevó a Sol-leks a la codiciada posición. A su juicio, Sol-leks era el mejor de los perros que le quedaban. Buck se abalanzó furioso sobre Sol-leks, echándolo de allí y colocándose en su lugar.

—¡Vaya! —gritó François, dándose, divertido, unas palmadas en los muslos—. Migga ese Buck. Él matag al Spitz y él pensag que ocupag su puesto. ¡Fuegga de ahí, chucho! —le gritó; pero Buck se negó a moverse.

Cogió a Buck por el cogote y, aunque el perro gruñía amenazadoramente, lo arrastró hacia un lado y volvió a colocar a Sol-leks. Al viejo perro no le hizo gracia esto, y dejó ver bien claro que temía a Buck. François era terco, pero, en cuanto se dio la vuelta, Buck volvió a empujar a Sol-leks, que en modo alguno se oponía al cambio. François estaba furiosísimo.

—¡Bueno, pogg Dios que te aggeglo! —gritó volviendo con un garrote enorme en la mano.

Buck se acordó del hombre del jersey rojo y se retiró lentamente; tampoco intentó sustituir a Sol-leks cuando lo volvieron a colocar en cabeza. Pero anduvo dando vueltas a prudente distancia del garrote, gruñendo de rabia y amargura; y mientras rondaba por allí no perdía de vista el garrote, por si François se lo tiraba y tenía que esquivarlo, pues Buck se había hecho un experto en materia de garrotes.

El perrero siguió con su tarea y, cuando llegó el momento de poner a Buck en su antiguo lugar, lo llamó. Pero Buck retrocedió dos o tres pasos. François fue tras él y el perro siguió retrocediendo. Y así continuaron un rato hasta que François tiró el garrote pensando que Buck temía una zurra. Pero Buck se había sublevado abiertamente. No es que quisiera esquivar una paliza: lo que quería era ocupar el puesto de mando. Tenía derecho a ello. Se lo había ganado y no se conformaría con menos.

Perrault intervino y los dos hombres anduvieron persiguiéndolo durante casi una hora. Le tiraban los garrotes, pero él los esquivaba. Lo maldijeron a él y a todos sus antepasados, y a todos sus descendientes hasta la última generación, y a todos los pelos de su cuerpo y hasta la última gota de sangre de sus venas; y a cada maldición, él contestaba con un gruñido y se mantenía fuera de su alcance. No hizo ademán de escaparse; se mantenía corriendo alrededor del campamento, haciéndolos ver que en cuanto tuvieran en cuenta su deseo se acercaría y se portaría bien.

François se sentó y se puso a rascarse la cabeza. Perrault consultó su reloj y soltó una blasfemia. El tiempo volaba y ya hacía más de una hora que debían haber estado en las pistas. François se volvió a rascar la cabeza. La meneó y sonrió tímidamente al correo, que se encogió de hombros en un gesto que indicaba que se daban por vencidos.

Luego François fue hasta donde estaba Sol-leks y llamó a Buck. Buck se rió como lo hacen los perros, pero se mantuvo a distancia. François desabrochó las correas de Sol-leks y lo volvió a colocar en su antiguo puesto. El tiro estaba ya enganchado al trineo en una fila continua, listo para las pistas. No quedaba otro sitio para Buck más que el primero. François lo volvió a llamar y Buck volvió a reírse, pero manteniéndose a distancia.

—Tigga el gaggote —le ordenó Perrault.

François obedeció y entonces Buck se acercó al trote, riendo triunfalmente, y se colocó a la cabeza del equipo. Se engancharon las correas, el trineo arrancó, los dos hombres se pusieron en marcha y todos enfilaron a gran velocidad el camino del río.

Aunque el perrero ya había valorado de antemano a Buck, al calificarlo como dos demonios, no pasó mucho rato sin que se percatara de que lo había subestimado. Buck se hizo cargo de sus deberes de perro-guía de inmediato, y siempre que era necesario poner en juego prudencia, agilidad de razonamiento y rápida actuación, demostró de sobra que era superior incluso a Spitz, del que François no había visto igual.

Pero sobre todo Buck sobresalía a la hora de dar una orden y de hacer que sus compañeros la cumplieran. A Dave y a Sol-leks no les importaba el cambio de liderazgo. No era problema de su incumbencia. Lo suyo era afanarse con todas sus fuerzas sobre las pistas. Mientras nadie se inmiscuyera en esto, lo demás los traía sin cuidado. Por ellos, como si ponían de guía al buenazo de Billee, con tal de que fuera capaz de mantener la disciplina. Sin embargo, el resto del equipo se había soliviantado durante los últimos días de Spitz y se sorprendieron enormemente al ver que ahora Buck los quería meter en cintura.

A Pike, que iba detrás de Buck, y que nunca tiraba de las correas con más fuerza que la estrictamente necesaria, lo sacudió repetida y enérgicamente por hacerse el remolón; y antes de que concluyera el primer día tiraba como nunca lo había hecho en su vida. La primera noche de campamento, a Joe, el desabrido, le dio una paliza descomunal, cosa que Spitz nunca había conseguido hacer. Buck lo aplastó en razón a su peso superior y estuvo mordiéndolo hasta que Joe dejó de dar dentelladas y comenzó a gemir pidiendo tregua.

Enseguida mejoró el estado de ánimo del equipo. Se recuperó la solidaridad de antaño y los perros volvieron a correr como un solo perro sobre las pistas. En los rápidos del Rink se añadieron dos esquimales nativos, Teek y Koona; y la rapidez con que Buck los dominó dejó a François boquiabierto.

—¡Nunca he visto un peggo como ese Buck! —exclamó—. ¡No, nunca! ¡Pogg Cgisto que vale mil dólagges! ¿Eh? ¿Tú que dices, Perrault?

Y Perrault asentía con la cabeza. Para entonces ya había batido su marca y ganaba tiempo día a día. La pista estaba en condiciones excelentes, lisa y dura, y no había que enfrentarse a nuevas nevadas. Tampoco el frío era excesivo. La temperatura había bajado a cincuenta grados bajo cero y durante todo el viaje se mantuvo así. Los hombres se turnaban a pie o en el trineo y los perros mantenían la marcha con muy escasas paradas.

El río Thirty Mile estaba relativamente cubierto de hielo y tardaron un día en recorrer lo que de subida les había llevado diez. Hicieron de un tirón un trayecto de sesenta millas desde la punta del lago Le Barge hasta los rápidos del White Horse. Al cruzar el Marsh, el Tagish y el Bennett (setenta millas de lagos) llevaban tal velocidad que el hombre que le tocaba ir a pie tuvo que atarse con una cuerda detrás del trineo. Y la última noche de la segunda semana coronaban el White Pass y bajaban hacia el mar con las luces de Skaguay y de los barcos a sus pies.

Fue un viaje que batió todas las marcas. Habían hecho una media de cuarenta millas durante cada uno de los catorce días que había durado. Durante tres días Perrault y François se pasearon muy ufanos por la calle mayor de Skaguay y los convidaban continuamente a beber, mientras el equipo se convertía en centro constante de veneración para una muchedumbre de perreros y revienta-perros.

Luego, tres o cuatro tipos del Oeste pretendieron limpiar la ciudad y, como sólo consiguieron que los cosieran a balazos, el interés del público se centró en otros ídolos. Después llegaron órdenes del Gobierno. François llamó a Buck, lo abrazó y lloró sobre su lomo. Y aquella fue la última vez que Buck vio a François y a Perrault. Como otros hombres, desaparecieron para siempre de la vida de Buck.

Un mestizo escocés se hizo cargo de él y de sus compañeros y, junto con otra docena de perros, emprendieron el duro camino de regreso a Dawson. Ahora no se trataba de correr ligero, ni de batir marcas; había que trabajar duramente todos los días arrastrando una pesada carga; porque tiraban del convoy del correo que llevaba noticias de todo el mundo a los hombres que buscaban oro bajo la sombra del polo.

A Buck no le gustaba esta tarea, pero cumplía honradamente, tan orgulloso de su trabajo como Dave y Sol-leks, y procuraba que sus compañeros también cumplieran con su deber. Era una vida monótona que transcurría con regularidad maquinal. Los días eran exactamente iguales unos a otros. Cada mañana, a una hora determinada, aparecían los cocineros, encendían las hogueras y se desayunaba. Luego, mientras unos levantaban el campamento, otros enganchaban los perros y se ponían en camino una hora antes de que se produjera la oscuridad que anuncia el amanecer. Por la noche, se plantaba el campamento. Unos clavaban las tiendas, otros cortaban leña y ramas de pino para hacer camas, y otros acarreaban agua o hielo para los cocineros. Además, daban de comer a los perros. Para ellos, aquel era el mejor momento del día, aunque también era agradable vagabundear por los alrededores, después de haberse comido el pescado, en compañía de los demás perros, que eran más de cien. Entre ellos había muy fieros luchadores, pero, después de tres peleas con los más bravos, Buck se hizo el amo y, en cuanto erizaba el pelo y enseñaba los dientes, se apartaban de su camino.

Quizá lo que más le gustaba era echarse delante del fuego con las patas traseras recogidas bajo su cuerpo y las delanteras extendidas, la cabeza erguida y los ojos parpadeando ensoñadores ante las llamas. A veces se acordaba de la casona del juez Miller en el soleado valle de Santa Clara, y del tanque de cemento donde solía nadar, y de Ysabel, la perrita pelona mexicana, y de Toots, el doguito japonés; pero más a menudo recordaba al hombre del jersey rojo, la muerte de Curly, la gran pelea con Spitz, y las buenas cosas que había comido o que le gustaría comer. No sentía nostalgia. La tierra soleada se le aparecía muy lejana y distante y estos recuerdos no lo dominaban. Mucho más potentes eran los recuerdos de su herencia, que conferían a las cosas desconocidas hasta entonces una familiaridad muy real; los instintos (que no eran sino los recuerdos de sus antepasados convertidos en costumbres), adormecidos durante muchos siglos y posteriormente también en él, se despertaban y volvían a revivir en su ser.

A veces, mientras estaba tendido allí, parpadeando ensimismado ante las llamas, le parecía que aquellas llamas pertenecían a otro fuego, y que él se hallaba tendido ante otro fuego y contemplaba a un hombre que no era el cocinero mestizo que estaba ante él. Aquel otro hombre tenía las piernas más cortas y los brazos más largos, y sus músculos eran fibrosos y nudosos, en vez de redondeados y voluminosos. El pelo de aquel hombre era largo y enmarañado y el perfil de su cabeza retrocedía a partir de los ojos. Emitía unos sonidos extraños y parecía temer enormemente la oscuridad, a la que de continuo se asomaba blandiendo en la mano, que le colgaba a media distancia entre la rodilla y el pie, un palo con una piedra atada en la punta. Estaba casi desnudo, con una piel chamuscada y hecha jirones que le cubría parte de la espalda, pero su cuerpo era muy velludo. En algunos lugares, como en el pecho y los hombros y la cara exterior de los brazos y muslos, el pelo era tan tupido que más parecía una piel. No se mantenía erguido, sino con el tronco levemente inclinado hacia adelante, de las caderas para arriba, y las piernas dobladas a la altura de las rodillas. Había en su cuerpo una elasticidad especial, una tensión casi felina, y la alerta atención de un ser que ha vivido en constante temor de lo visible y de lo invisible.

En otras ocasiones aquel hombre velludo se sentaba en cuclillas junto al fuego, con la cabeza entre las piernas y se quedaba dormido. Entonces ponía los codos sobre las rodillas y las manos entrelazadas por encima de la cabeza, como si quisiera protegerse de la lluvia con sus peludos brazos. Y más allá del fuego, en la oscuridad que los rodeaba, Buck podía ver muchos carbones encendidos, de dos en dos, siempre a pares, y sabía que eran los ojos de las grandes fieras de presa. Podía oír el ruido que hacían sus cuerpos al caminar por entre la maleza y los sonidos que emitían por la noche. Y cuando estaba soñando allí, a orillas del Yukón, con los ojos adormilados parpadeando ante el fuego, aquellos sonidos y aquellas imágenes de otro mundo hacían que se le erizasen todos los pelos del lomo y del cuello, hasta que empezaba a gemir en tono bajo y contenido o a aullar suavemente; entonces el cocinero mestizo le gritaba:

—¡Eh, Buck! ¡Despierta!

Con lo cual el otro mundo se desvanecía y aparecía ante sus ojos el mundo real; y Buck se ponía en pie, bostezaba y se desperezaba como si hubiera estado durmiendo.

El viaje fue muy duro; arrastraban el correo y el trabajo les resultaba agotador. Estaban flacos y extenuados cuando llegaron a Dawson, y tenían que haberles dado diez días de descanso, o al menos una semana. Pero al cabo de dos días ya enfilaban las cuestas del Yukón hacia los Barracks, cargados con correspondencia para el exterior. Los perros estaban cansados, los perreros gruñían y, para acabarlo de rematar, nevó todos los días. Esto significaba que las pistas estaban blandas, la fricción era mayor y, por tanto, los perros tenían que tirar con más esfuerzo; sin embargo, los perreros se portaron bien e hicieron lo que pudieron por ayudar a los animales.

Todas las noches se atendía a los perros antes que a nadie. Comían antes que los conductores, y ninguno de los hombres se metía en su saco de dormir sin haber revisado antes las patas de los perros de su tiro. Con todo y con eso, cada día se encontraban más debilitados. Desde el comienzo del invierno habían recorrido ya mil ochocientas millas, arrastrando trineos por tan agotador trayecto; y mil ochocientas millas acaban por notarse en cualquier perro, por muy fuerte que sea. Buck lo aguantó, obligando a trabajar a sus compañeros y manteniendo la disciplina, pero también él estaba muy cansado. Billee gemía y se quejaba en sueños todas las noches. Joe se mostraba más desabrido que nunca y a Sol-leks no había quien se le acercase, ni por el lado ciego ni por el otro.

Pero el que más sufría era Dave. No cabía duda de que le pasaba algo. Se volvió más hosco e irritable y en cuanto montaban el campamento se hacía un agujero y los hombres tenían que llevarle la comida allí. En cuanto lo desenganchaban de los arneses y bajaba a su hoyo no volvía a ponerse en pie hasta la mañana siguiente, cuando lo volvían a enganchar. A veces, en ruta, cuando lo sacudía una brusca parada del trineo o cuando tiraba fuerte para arrancar, emitía un grito de dolor. El perrero lo examinó, pero no pudo encontrar nada. Los demás conductores se interesaron por su caso. Charlaban sobre él a la hora de comer y cuando fumaban la última pipa antes de acostarse, y una noche celebraron consulta. Lo sacaron de su agujero y lo llevaron cerca del fuego, y allí estuvieron tocándolo y apretándolo hasta que se quejó varias veces. Tenía algún mal interno, pero ni podían localizar ningún hueso roto ni saber de qué se trataba.

Para cuando llegaron a Cassiar Bar, estaba tan débil que se caía con frecuencia sobre la pista. El mestizo escocés detuvo el tiro y lo desenganchó y puso al perro siguiente, Sol-leks, entre las varas, dejándolo correr a su antojo detrás del trineo. Pero, a pesar de lo enfermo que estaba, a Dave le ofendió que lo desengancharan, y protestó y gruñó mientras le soltaban las correas, y luego gimió patéticamente cuando vio a Sol-leks ocupar el puesto que él había ocupado y desempeñado durante tanto tiempo. Pues sentía el orgullo de la pista y del tiro y, aunque se estuviera muriendo, no podía soportar que otro perro hiciera su tarea.

Cuando el trineo se puso en marcha, corrió con grandes dificultades por la nieve blanda junto a la pista endurecida, mordiendo a Sol-leks, empujándolo para hacerlo caer del otro lado del camino, sobre la nieve blanda, intentando meterse entre las riendas y colocarse entre él y el trineo, sin dejar de gemir y llorar y gritar de dolor y de pena. El mestizo intentó apartarlo a latigazos; pero hacía caso omiso de la restallante fusta y al hombre le daba pena castigarlo con más fuerza. Dave se negaba a correr tranquilamente por la pista, detrás del trineo, cosa que le habría sido fácil, y continuó tambaleándose por la nieve blanda, por donde resultaba muy difícil avanzar, hasta que se agotó. Entonces se derrumbó y allí se quedó aullando lúgubremente mientras la larga fila de trineos pasaba velozmente junto a él.

Aún pudo hacer acopio de sus fuerzas para arrastrarse tras ellos hasta que la expedición hizo un alto en el camino y entonces adelantó a los trineos hasta llegar al suyo y se colocó al lado de Sol-leks. El conductor se entretuvo un momento para pedir fuego para su pipa al hombre que iba detrás. Luego regresó y puso en marcha su equipo. Los perros empezaron a correr por la pista con gran facilidad, volvieron la cabeza muy extrañados y se pararon sorprendidísimos. También el conductor estaba sorprendido; el trineo no se había movido. Llamó a sus compañeros para que contemplaran lo sucedido: Dave había roído las correas de Sol-leks y se hallaba de pie, delante del trineo, en su sitio.

Con los ojos suplicaba que lo dejaran quedarse allí. El conductor estaba perplejo. Sus compañeros comentaban cómo a un perro se le puede partir el alma cuando le impiden realizar un trabajo que lo está matando; y recordaban otros casos que ellos habían conocido en los que algunos perros, que ya eran demasiado viejos para trabajar o que estaban malheridos, habían muerto al separarlos del tiro. Decidieron que sería más piadoso que, ya que Dave iba a morir en cualquier caso, le permitieran morir entre las riendas, feliz y contento. Así que lo volvieron a enganchar, y se puso a tirar con aquel orgullo suyo de siempre, aunque de cuando en cuando se le escapaba un grito por el mal que le roía las entrañas. Varias veces se cayó y el tiro lo arrastró, y en otra ocasión se le echó encima el trineo y lo dejó cojeando de una de las patas traseras.

Pero aguantó hasta llegar al campamento, donde el conductor le hizo un sitio junto al fuego. A la mañana siguiente se encontraba demasiado débil para poder viajar. A la hora de ponerle los arneses, intentó arrastrarse hasta el conductor. A duras penas logró ponerse en pie, vaciló y se cayó. Luego fue arrastrándose lentamente hasta el lugar donde estaban enganchando a sus compañeros. Avanzaba las patas delanteras y arrastraba el cuerpo de un tirón, y luego volvía a adelantar las patas delanteras y daba otro tirón para avanzar unas pulgadas. Sus fuerzas lo abandonaron, y la última vez que sus compañeros, lo vieron quedaba tendido en la nieve jadeando y mirándolos ansiosamente. Pero siguieron oyendo su aullido lastimero hasta que se perdieron de vista detrás de los árboles que hay a orillas del río.

Allí se detuvo la expedición. El mestizo escocés regresó lentamente hasta el campamento de donde acababan de salir. Los hombres dejaron de hablar. Se oyó un disparo de revólver. El hombre regresó a toda prisa. Los látigos restallaron, los cascabeles tintinearon alegremente, los trineos se deslizaron por la pista; pero Buck sabía, como lo sabían los demás perros, lo que había sucedido más allá de los árboles del río.

El arduo trabajo del tiro y de la pista

A los treinta días de haber salido de Dawson, el correo de Salt Water, con Buck y sus compañeros al frente, llegaban a Skaguay. Se encontraban en un estado lastimoso, rendidos y agotados. Las ciento cuarenta libras de peso de Buck habían quedado reducidas a ciento quince. El resto de sus compañeros, aunque eran perros más pequeños, habían perdido relativamente más peso que él. El taimado de Pike, que en su larga vida de trapazas había fingido a menudo que tenía una pata herida, cojeaba ahora muy de veras. También cojeaba Sol-leks, y Dub tenía un hombro dislocado.

Todos tenían las plantas de los pies lastimadísimas, sin elasticidad ni resistencia alguna. Dejaban caer las patas pesadamente sobre la pista, con lo cual se duplicaba el cansancio de cada día de viaje. No les sucedía nada malo: solo que estaban muertos de cansancio. No era el cansancio agotador que se produce tras un esfuerzo intenso y breve, del cual se recupera uno en cuestión de horas; era el cansancio mortal generado por el agotamiento lento y prolongado de las fuerzas tras varios meses de arduo trabajo. Ya no les quedaban energías para recuperarse, ni fuerzas de reserva a las que recurrir. Las habían agotado todas hasta la última gota. Todos y cada uno de sus músculos, de sus fibras, de sus células, estaban cansados, mortalmente cansados. Y con razón. En menos de cinco meses habían recorrido dos mil quinientas millas, y en las últimas mil ochocientas solo habían tenido cinco días de descanso. Al llegar a Skaguay, parecía que estaban en las últimas. Apenas si podían mantener las riendas tirantes y, cuando iban cuesta abajo, casi no eran capaces de mantenerse fuera del alcance del trineo.

—¡Vamos, patitas cansadas! —les gritaba el conductor intentando animarlos cuando enfilaban la calle mayor de Skaguay—. Estamos llegando, y luego nos vamos a descansar. ¿Vale? Sí, señor, nos vamos a tomar un descanso morrocotudo.

Los mismos conductores confiaban en que les darían unos días de asueto. También ellos habían hecho mil doscientas millas con solo dos días de descanso y merecían, muy natural y justamente, un período de holganza. Pero habían acudido tantísimos hombres al Klondike, y había tantísimas novias, esposas y demás parientes que se habían quedado lejos, que el correo se iba acumulando en montones grandísimos, y, además, había despachos oficiales. De la bahía de Hudson llegaron nuevos lotes de perros para sustituir a los que ya no servían para las pistas. Había que deshacerse de los que ya no valían y, como los perros importan poco comparados con los dólares, hubo que venderlos.

Pasaron tres días, durante los cuales Buck y sus compañeros pudieron darse cuenta de lo cansadísimos y agotados que se hallaban. Luego, el cuarto día por la mañana, llegaron dos hombres de los Estados Unidos y los compraron, con arneses y todo, por cuatro perras. Los hombres se llamaban uno a otro «Hal» y «Charles». Charles era de mediana edad; tenía la piel blanca, los ojos llorosos y miopes y un gran mostacho retorcido, que disimulaba unos labios marchitos y caídos. Hal era un joven de diecinueve o veinte años, que llevaba, atados a un cinto repleto de balas, un gran revólver Colt y un cuchillo. Este cinto era su rasgo más característico. Revelaba su inmadurez, una inmadurez total e indescriptible. Aquellos dos hombres estaban evidentemente fuera de lugar, y la razón por la cual los hombres de su estilo se arriesgaban a marchar a las tierras del Norte es un misterio que resiste a toda explicación.

Buck los oyó regatear, vio el dinero pasar de las manos del hombre a las del agente del Gobierno, y se percató de que el mestizo escocés y los conductores del convoy del correo salían de su vida como antes habían salido Perrault y François y todos los demás. Cuando lo condujeron junto con sus compañeros al campamento de sus nuevos amos, Buck se encontró en un lugar sucio y descuidado, con la tienda medio caída, los platos sin fregar y todo en desorden; además vio a una mujer. «Mercedes», la llamaban los hombres. Era la mujer de Charles y a la vez la hermana de Hal. ¡Vaya familia!

Buck los observó con recelo mientras acababan de desmontar la tienda y cargaban el trineo. Ponían en ello gran empeño, pero carecían de eficiencia. Enrollaron la tienda en un paquete que era tres veces mayor de lo que podía haber sido. Los platos de latón los guardaron sin fregar. Mercedes estorbaba continuamente el trabajo de los hombres y cotorreaba sin cesar, dándoles consejos y haciéndoles reproches. Cuando pusieron una bolsa de ropa en la parte delantera del trineo, les sugirió que iría mejor en la trasera; y cuando la tenían colocada detrás y quedaba debajo de otros dos paquetes, se dio cuenta de que se le había olvidado guardar algunas prendas que tenían que ir necesariamente en aquella bolsa, y hubo que volver a descargar.

Salieron tres hombres de una tienda cercana y se quedaron mirándolos, sonriendo y guiñándose un ojo.

—Creo que llevan demasiada carga —dijo uno de ellos—. Aunque sea meter las narices donde no me llaman, yo en su lugar no me llevaría la tienda.

—¡Ni soñarlo! —gritó Mercedes, alzando los brazos con gesto de remilgada consternación—. ¿Cómo demonios voy a arreglármelas sin tienda?

—Ya estamos en primavera y no les volverá a hacer frío —contestó el hombre.

Ella meneó la cabeza, muy decidida, y Charles y Hal colocaron los últimos trastos encima de aquella montaña de equipaje.

—¿Usted cree que arrancará? —preguntó uno de los hombres.

—¿Y por qué no? —le replicó Charles, secamente.

—Bueno, bueno —se apresuró a contestar el hombre, en tono apaciguador—. Solo que se me pasó por la cabeza. Como me parecía un pizquín sobrecargado...

Charles le dio la espalda y amarró las riendas lo mejor que pudo; es decir, bastante mal.

—Y, claro, los perros irán todo el día tirando de ese armatoste —comentó otro hombre.

—Naturalmente que sí —le replicó Hal con una cortesía glacial, empuñando la palanca de mando con una mano y blandiendo el látigo con la otra—. ¡Arre! —gritó—. ¡Arre, ya!

Los perros se echaron sobre las correas delanteras, tiraron con fuerza durante unos momentos y luego se detuvieron. Eran incapaces de mover el trineo.

—¡Bestias haraganas! ¡Ya os enseñaré! —les gritó dispuesto a sacudirles con el látigo.

Pero Mercedes intervino, gritando:

—¡No, Hal, no lo hagas! —y agarró el látigo y se lo quitó de las manos—. ¡Pobrecitos! Me tienes que prometer que no los maltratarás mientras dure el viaje, porque, si no, aquí me quedo.

—¡Qué sabrás tú de perros! —rezongó su hermano—. A ver si me dejas en paz. Son perezosos, te lo digo yo, y hay que zurrarles si quieres conseguir algo de ellos. Son así y, si no, pregúntaselo a cualquiera; pregunta a esos hombres.

Mercedes los miró suplicante, con un gesto de repulsión ante la presencia del dolor pintado en su bonita cara.

—Lo que les pasa es que no se tienen en pie —le contestó uno de los hombres—. Agotaditos están, eso es lo que les pasa. Necesitan descansar.

—¡Joder con el descanso! —dijo Hal con aquellos labios barbilampiños.

Y Mercedes dijo:

—¡Oh! —dolida y compungida al oír la palabrota.

Pero de todas formas se puso de lado de su hermano y salió en su defensa:

—No hagas caso de ese hombre —dijo con retintín—. Tú eres el que conduces los perros, así que haz lo que te parezca mejor.

El látigo de Hal volvió a caer sobre los animales. Estos se echaron sobre los tirantes delanteros, clavaron las patas en la nieve aplastada, bajaron el cuerpo y tiraron con todas sus fuerzas. El trineo permanecía inamovible, como si estuviera anclado. Tras otros dos intentos, se detuvieron jadeantes. El látigo restallaba ferozmente, y entonces Mercedes volvió a intervenir. Se hincó de rodillas ante Buck, con lágrimas en los ojos, y se abrazó a su cuello.

—Pobrecitos míos —les lloró, muy compasiva—, ¿por qué no tiráis con ganas? Y así no os pegarán.

A Buck no le gustaba la mujer, pero se sentía demasiado desgraciado como para oponerse a ella, de modo que la aguantó como un número más de los males de aquel día.

Uno de los mirones, que había estado apretando los dientes para no soltar una sarta de improperios, acabó por hablar.

—Me importa un comino lo que les pueda pasar, pero por el bien de los perros les diré que más vale que despeguen el trineo: las tablas están heladas y pegadas al suelo. Si echa el peso de su cuerpo contra la palanca del mando, de izquierda a derecha, se soltará.

Por tercera vez volvieron a intentar ponerse en marcha, pero esta vez, siguiendo los consejos, Hal pudo despegar las tablas que se habían quedado soldadas al suelo por el hielo. El sobrecargado y aparatoso trineo avanzó tirado trabajosamente por Buck y sus compañeros, sobre los que caía una lluvia de zurriagazos. Cien metros más allá, el sendero hacía una curva en cuesta para enfilar por la calle mayor. Solo un hombre de gran experiencia habría sido capaz de mantener el trineo en equilibrio, y Hal no era ese hombre. Cuando tomaban la curva, el trineo volcó, desparramando la mitad de la carga por entre las correas mal aseguradas. Los perros no se detuvieron. El trineo, aligerado de su peso, se deslizaba de costado tras ellos. Estaban enojados por los malos tratos recibidos y por la carga injusta. Buck estaba furioso. Se lanzó a la carrera seguido por todo su equipo. Hal gritaba: «¡Soo! ¡Soo!», pero ellos seguían como si tal cosa. El hombre perdió el equilibrio y cayó al suelo. El trineo volcado le pasó por encima y los perros enfilaron a toda marcha por la calle mayor, sembrando el regocijo por Skaguay al dejar desparramados por el centro de la población los restos de la carga.

Algunos ciudadanos de buen corazón detuvieron los perros y recogieron los desperdigados bártulos. Además, les dieron un consejo: la mitad de la carga y el doble de perros si es que querían llegar a Dawson. Eso les dijeron. Hal, su hermana y su cuñado escucharon de mala gana, montaron la tienda y revisaron sus pertrechos. Salieron a relucir latas de conservas, lo que hizo reír a los mirones, porque en la Gran Pista las latas de conservas son el sueño de cualquier viajero.

—Mantas como para un hotel —dijo uno de los hombres, que se reían y los ayudaban—. Con la mitad es más que suficiente; desháganse de ellas. Tiren la tienda y todos los platos; de todas formas, nadie los va a fregar... ¡Santo cielo! ¿Se creen que viajan en vagón de lujo?

Y así siguieron, inexorablemente, eliminando lo superfluo. Mercedes lloró cuando vio que volcaban en el suelo sus bolsas de viaje e iban tirando, una por una, todas sus prendas de vestir. Lloraba de modo general y luego en particular cada vez que tiraban una cosa. Estaba sentada con las manos en las rodillas, meciéndose sin consuelo. Juró que no se movería de allí ni por una docena de Charles. Suplicó a todos y por todo, y al final se secó los ojos y se puso a tirar prendas de vestir de primerísima necesidad, con tal entusiasmo que, al acabar con las suyas, la emprendió con las pertenencias de los hombres y las liquidó como si fuera un ciclón.

Y todavía después de esto, el equipaje, aunque reducido a la mitad, seguía siendo enorme. Charles y Hal salieron por la tarde y compraron seis perros nuevos. Con estos, más los seis del equipo original, y Teek y Koona, los perros esquimales adquiridos en los rápidos del Rink cuando el viaje récord, eran catorce perros en el tiro. Pero los nuevos perros, que venían de otras tierras, aunque ya se habían amansado, eran de poca utilidad. Tres de ellos eran pointers de pelo corto, uno era un Terranova y los otros eran dos perros callejeros de raza desconocida.

Al parecer los recién llegados no sabían nada de nada. Buck y sus compañeros los miraron despectivamente y, aunque Buck enseguida les enseñó cuál era su lugar y lo que no podían hacer, le resultó imposible enseñarles lo que tenían que hacer. Se adaptaron de mala gana al trabajo en la pista y en el tiro. Excepto los dos perros callejeros, los demás estaban aturdidos y con el ánimo destrozado por el ambiente feroz y desconocido adonde habían ido a parar, y por los malos tratos recibidos. Los dos perros callejeros no tenían ánimos de ninguna clase y lo único que se les podía destrozar eran los huesos.

Así que, con los inútiles y desanimados recién llegados y el antiguo equipo agotado por dos mil quinientas millas de continuo viajar, las perspectivas no se presentaban nada brillantes. A pesar de lo cual los dos hombres estaban de muy buen humor y además muy ufanos. Iban a viajar a lo grande, con catorce perros. Habían visto otros trineos cruzar el Paso rumbo a Dawson, o llegar de Dawson, pero ninguno de ellos llevaba catorce perros. Naturalmente, existe una razón por la cual un trineo nunca viaja por el Ártico con catorce perros, y es porque un trineo no puede cargar con toda la comida necesaria para catorce perros. Pero Charles y Hal no lo sabían. Habían calculado el viaje con papel y lápiz: tanto por perro, a tantos perros y tantos días, sale a tanto. Mercedes los miraba por encima del hombro y asentía comprensivamente. ¡Parecía todo tan sencillo!

Ya bien entrada la mañana siguiente, Buck se puso en marcha con todo el equipo calle arriba. No iban nada animados, ni había señal de vivacidad ni gallardía alguna en ninguno de los perros. Se ponían de viaje muertos de cansancio. Buck había recorrido ya cuatro veces la distancia entre Salt Water y Dawson y le amargaba saber que, tan agotado como se encontraba, tenía que volver a repetir la misma ruta. No se ponía de corazón a la tarea, ni él ni ninguno de los perros. Los forasteros eran tímidos y estaban asustados y los veteranos no confiaban en sus amos.

Buck tenía la vaga sensación de que no podía fiarse de aquellos dos hombres y la mujer. No sabían hacer nada, y con el tiempo se dio cuenta de que, además, eran incapaces de aprender nada. Eran desmañados en todo y carecían de orden y disciplina. Se tiraban media noche montando un destartalado campamento y les llevaba media mañana volverlo a levantar y cargar el trineo tan chapuceramente que se pasaban el resto del día parándose para volver a colocar los bultos. Había días en que no avanzaban ni diez millas, y otros en que ni siquiera llegaban a arrancar. Y ningún día llegaron a cubrir ni la mitad del trayecto que los hombres habían tomado como base para calcular la comida de los perros.

Era inevitable que la comida de los animales acabara por escasear. Pero esto sobrevino con mucha anticipación, pues los sobrealimentaban, con lo cual adelantaron el momento en que habían de ponerlos a dieta. Los perros recién llegados, a los que el hambre crónica no los tenía acostumbrados a sacarle el jugo a cantidades mínimas de comida, tenían un apetito voraz. Además, como los agotados perros esquimales tiraban con pocas energías, Hal decidió que la ración calculada era demasiado pequeña y la dobló. Y por si faltaba poco, cuando Mercedes, con lágrimas en sus lindos ojos y voz trémula, no lograba engatusarlo para que diera a los perros otro poco de comida, iba ella a robar pescado de los sacos y se lo daba a los animales a escondidas. Pero lo que Buck y los perros necesitaban no era comida, sino descanso. Y aunque no avanzaban gran cosa, la pesada carga que arrastraban iba minando sus fuerzas.

Luego llegó el momento de ponerlos a dieta. Un día Hal se dio cuenta de que había usado la mitad de la comida en solo un cuarto del trayecto, y, lo que es peor, de que era absolutamente imposible conseguir más. Así que redujo la ración necesaria e intentó aumentar el ritmo de la marcha. Su hermana y su cuñado secundaban sus planes, pero aquello no dio resultado por su propia incompetencia y por el gran peso de la carga. Era muy sencillo dar a los perros menos comida; lo que era imposible era conseguir que corrieran más deprisa y además durante más horas, porque perdían mucho tiempo con los preparativos mañaneros. No solo ignoraban cómo hacer trabajar a los perros, sino que ni ellos mismos sabían trabajar.

El primero en caer fue Dub. Ladronzuelo chapucero, siempre descubierto y castigado, había sido con todo un trabajador leal. Su hombro dislocado, sin cuidado y sin descanso, había ido de mal en peor, hasta que Hal acabó por matarlo de un tiro con su gran revólver Colt. Hay un dicho de aquellas tierras según el cual un perro forastero se muere de hambre con la ración de un perro esquimal; de modo que los seis perros forasteros del equipo de Buck no tuvieron más remedio que morirse de hambre, pues solo les daban la mitad de la ración de un perro esquimal. Primero se murió el Terranova, luego, los tres pointers de pelo corto, al fin, por mucho empeño que pusieron en aferrarse a la vida, acabaron también por morir los perros callejeros.

Para entonces, las tres personas habían perdido toda la amabilidad y buenas costumbres sureñas. Desprovista de su atractivo novelesco, la travesía del Ártico se convirtió en una realidad demasiado dura para aquellos hombres y aquella mujer. Mercedes dejó de compadecerse de los perros, pues estaba demasiado ocupada compadeciéndose de sí misma y peleándose con su esposo y con su hermano. Para reñir nunca estaban demasiado cansados. Las dificultades provocaban su irritabilidad, que crecía con ellas, multiplicándose y superándolas con mucho. La maravillosa paciencia que adquieren en la pista los hombres que trabajan duro y sufren hondamente, sin perder la amabilidad y las buenas palabras, nunca la llegaron a conocer aquellos dos hombres y aquella mujer. No tenían ni remota idea de que existiera. Estaban rígidos y doloridos; les dolían todos los músculos, todos los huesos, hasta el alma les dolía; y por eso hablaban de malos modos, y lo primero que pronunciaban al punto de la mañana y lo último que se decían cada noche eran palabras agrias.

Charles y Hal discutían en cuanto Mercedes les daba la más mínima oportunidad. Cada uno de ellos estaba convencido de que trabajaba más que el otro y aprovechaban todas las ocasiones para expresar este convencimiento. Mercedes se ponía unas veces de parte de su marido y otras de la de su hermano; total, que aquello era una hermosa e interminable pelea familiar. Podían empezar discutiendo sobre quién iba a cortar unas astillas para el fuego (discusión que solo atañía a Charles y Hal); al cabo de un rato ya habían sacado a relucir al resto de la familia, padres, madres, tíos, primos, gente que estaba toda a miles de millas de distancia y, algunos de ellos, muertos. Que la opinión de Hal en materia artística o que el tipo de comedias facilonas que escribía el hermano de su madre tuviera algo que ver con el hecho de tener que cortar unas astillas, es algo que supera los límites de cualquier razonamiento; sin embargo, lo más probable es que la discusión tomara esos derroteros o que acabara sacando a relucir los prejuicios políticos de Charles. Y que la lengua chismosa de la hermana de Charles tuviera algo que ver con el hecho de encender una hoguera en el Yukón, solo le parecía lógico a Mercedes, que soltaba una retahíla de comentarios sobre el tema y, de paso, sobre características igualmente desagradables de la familia de su marido. Y mientras tanto el fuego seguía sin encenderse, el campamento quedaba a medio montar y los perros en ayunas.

Mercedes se sentía además especialmente ofendida por razón de su condición femenina. Era linda y delicada y, hasta entonces, siempre la habían tratado con caballerosidad. Pero la actitud actual de su esposo y de su hermano distaba mucho de ser caballerosa. Tenía la costumbre de mostrarse indefensa y ellos se quejaban de esto. Y como le censuraban lo que a ella le parecía la prerrogativa más fundamental de su sexo, se dedicó a hacerles la vida imposible. Sin consideración alguna hacia los perros y alegando que estaba cansada y dolorida, se empeñó en viajar subida al trineo. Era bonita y delicada, pero pesaba ciento veinte libras*, que no era moco de pavo para añadir a la ya pesada carga que tenían que arrastrar los animales, débiles y famélicos.

* Si tenemos en cuenta que una libra, como ya vimos en su momento, equivale a 454 gramos, Mercedes pesaba casi 55 kilogramos.

Y allí fue sentada durante varios días, hasta que los perros cayeron agotados y el trineo se detuvo. Charles y Hal le rogaron que se bajara y caminara; se lo suplicaron encarecidamente, mientras ella lloraba y clamaba al cielo y soltaba una sarta de quejas sobre la brutalidad de los hombres.

En una ocasión la bajaron del trineo a la fuerza. No se les ocurrió volverlo a repetir. Se tiró al suelo como un niño malcriado y allí se quedó sentada en la pista. Ellos siguieron su camino, pero ella no se movió. Al cabo de tres millas descargaron el trineo, volvieron a buscarla, y la subieron de nuevo a la fuerza al trineo.

Abrumados por su propio sufrimiento, no se percataban del de los animales. La teoría de Hal, que sólo ponía en práctica en cabeza ajena, era que había que hacerse duro. Empezó por predicársela a su hermana y a su cuñado, pero, en vista del éxito, se dispuso a inculcársela a los perros a fuerza de garrotazos. Al llegar a Five Fingers se habían quedado sin comida para los animales, y una vieja india desdentada les ofreció unas libras de pellejos de caballo congelados a cambio del revólver Colt que Hal siempre llevaba al cinto junto con el gran cuchillo de monte. Aquellos pellejos, arrancados de los famélicos caballos de unos vaqueros, hacía ya seis meses, eran muy pobre sustituto de comida. Y como estaban congelados, más parecían tiras de hierro galvanizado; cuando llegaban al estómago de los perros, se derretían y quedaban reducidos a unas finas tiras correosas e insustanciales y una masa de cerdas ásperas e indigestas.

Con todo y con eso, Buck seguía avanzando a duras penas al frente del equipo, como en una pesadilla. Tiraba mientras podía; y cuando ya no podía más, se caía al suelo y allí se quedaba hasta que, a fuerza de latigazos o garrotazos, lo obligaban a volverse a levantar. Su hermoso pelaje había perdido todo el brillo y la tersura. El pelo le caía, lacio y apelmazado, o salpicado de sangre reseca, en aquellos puntos donde Hal le había pegado con el garrote. Los músculos se le habían quedado reducidos a cuerdas nudosas y la carne había desaparecido de su cuerpo, de modo que se le podían contar todas las costillas y todos los huesos de su esqueleto a través del fláccido pellejo plegado en surcos, que revelaba el vacío interior. Era descorazonador, pero Buck no se dejaba descorazonar, como había podido comprobar el hombre del jersey rojo.

Y lo mismo que le sucedía a Buck les sucedía también a sus compañeros. Eran esqueletos ambulantes. Eran siete en total, contándolo a él. El excesivo padecimiento los había vuelto insensibles al aguijón del látigo o a las magulladuras del garrote. El dolor de los golpes les resultaba vago y distante, del mismo modo que las cosas que sus ojos veían y sus oídos percibían les parecían vagas y distantes. Estaban medio muertos, incluso diríamos tres cuartas partes muertos. Eran simplemente otras tantas bolsas de huesos en las que apenas resplandecía alguna chispa de vida. Cuando hacían un alto en el camino, se dejaban caer sobre la pista como perros muertos y la chispa palidecía y se empañaba como si fuera a escapárseles. Y cuando el garrote o el látigo volvía a caer sobre sus lomos, la chispa se animaba débilmente; entonces se incorporaban a duras penas y proseguían la marcha tambaleándose.

Pero llegó un día en que el buenazo de Billee se cayó y ya no se pudo levantar. Como Hal había dado su revólver en trueque, cogió el hacha y le asestó un golpe a Billee en la cabeza, según estaba allí tendido entre las riendas, y luego separó de otro hachazo el cadáver de los arneses y lo echó a un lado del camino. Buck lo vio, sus compañeros lo vieron y todos se dieron cuenta de que aquello era algo que también a ellos les sucedería muy probablemente. Al día siguiente cayó Koona y solo quedaban cinco: Joe, tan agotado que ya no era ni desabrido; Pike, tullido y cojeando, medio inconsciente y sin ánimos ya ni para hacerse el remolón; Sol-leks, el tuerto, todavía trabajando en las pistas y en las riendas con lealtad y quejándose de tener tan pocas energías para tirar; Teek, que no había viajado tanto como los demás en el invierno y que, por estar en mejores condiciones, recibía más golpes que los otros; y Buck, todavía al frente del equipo, pero sin imponer ninguna disciplina ni preocuparse por ello, ciego de debilidad la mitad del tiempo, y manteniendo la ruta por puro instinto y por el vago tacto de sus patas.

Hacía un hermoso tiempo primaveral, pero ni los perros ni los hombres se percataban de ello. Día a día el sol se levantaba más temprano y se ponía más tarde. Amanecía a las tres de la mañana y el crepúsculo se prolongaba hasta las nueve de la noche. Durante todo el día resplandecía el sol. El fantasmal silencio del invierno había dejado paso al gran murmullo primaveral de la vida que se despierta. Este murmullo brotaba de toda la tierra, rebosante de la alegría de vivir. Surgía de las cosas que revivían y se volvían a mover, cosas que habían permanecido como muertas e inmóviles durante los largos meses de hielo. La savia ascendía dentro de los pinos. Los sauces y los álamos reventaban de brotecillos. Los arbustos y las plantas trepadoras volvían a reverdecer. Los grillos se pasaban la noche cantando y, durante el día, todo tipo de criaturas se arrastraban por el suelo buscando el sol. Las perdices y los pájaros carpinteros revoloteaban por los bosques, llenándolos de sonido. Las ardillas parloteaban, los pájaros cantaban y, por encima de todos ellos, graznaban los patos salvajes que llegaban volando desde el Sur en hábiles cuñas que rasgaban el aire.

De las laderas de todas las colinas llegaba el cascabeleo del agua que corría, la música de los manantiales ocultos. Todo se derretía, se quebraba, crujía. El Yukón se esforzaba por romper el hielo que lo contenía. Lo iba deshaciendo desde abajo mientras el sol se lo comía desde arriba. Se formaban burbujas de aire, se hacían grietas que se iban separando, y finas capas de hielo acababan por caer al fondo del río. Y en medio de toda esta explosión, de todo este clamor y palpitar del despertar de la vida, bajo el sol resplandeciente y a través de brisas apenas susurrantes, como peregrinos de la muerte, avanzaban los dos hombres, la mujer y los perros.

Cuando llegaron al campamento de John Thornton, en la desembocadura del río White, los perros iban cayéndose, Mercedes sollozaba sentada en el trineo, Hal blasfemaba tontamente y los ojos de Charles lloraban de melancolía. Cuando se detuvieron, los perros cayeron al suelo como muertos. Mercedes se secó los ojos y miró a John Thornton. Charles se sentó en un tronco para descansar. Se fue sentando muy despacio y con muchos esfuerzos, pues estaba entumecido. Hal hizo todo el gasto de conversación. John Thornton le estaba dando los últimos retoques al mango de un hacha que se acababa de tallar con la rama de un abedul. Tallaba y escuchaba, contestando con monosílabos y, cuando le preguntaban su opinión, daba breves consejos. Conocía aquel tipo de ganado, y daba los consejos sabiendo con toda seguridad que no se los iban a tener en cuenta.

—Nos dijeron allá arriba que se estaba derritiendo el fondo de la pista y que mejor sería que esperáramos —comentó al oír el aviso que le daba Thornton de que no siguieran arriesgándose sobre el hielo quebradizo—. Nos dijeron que no conseguiríamos llegar hasta el río White y aquí estamos —y había un deje de orgullo en estas últimas palabras.

—Y mentira no decían —le contestó John Thornton—. El fondo está a punto de desmoronarse de un momento a otro. Sólo un loco, y siempre hay alguno con suerte, lo conseguiría. Le aseguro que yo no arriesgaría mi pellejo sobre ese hielo ni por todo el oro de Alaska.

—Será porque no es usted un loco —dijo Hal—. Pero nosotros nos vamos a Dawson.

Desenrolló el látigo.

—¡Levántate, Buck! ¡Vamos, arriba! ¡Arre!

Thornton siguió tallando la madera. De sobra sabía que era inútil interponerse entre un loco y su locura y, además, con dos o tres locos más o menos, el mundo giraría igual.

Pero los perros no se levantaron al oír la orden. Hacía ya tiempo que solo respondían a fuerza de golpes. El látigo restalló sobre ellos castigándolos sin piedad. John Thornton se mordió los labios. El primero que logró ponerse en pie fue Sol-leks. Luego, Teek. Después lo hizo Joe, ladrando quejumbroso. Pike, tras penosos esfuerzos, cayó por dos veces, cuando ya casi había conseguido levantarse, y a la tercera logró mantenerse en pie. Buck ni siquiera lo intentó. Se quedó en el mismo lugar donde se había tendido. El látigo lo mordió repetidamente, pero ni se quejó ni se movió. Thornton estuvo a punto de abrir la boca varias veces y se contuvo. Los ojos se le humedecieron y se puso en pie y comenzó a caminar de arriba abajo nerviosamente, mientras seguían los latigazos.

Era la primera vez que Buck le fallaba y aquello era razón suficiente para que Hal se pusiera furioso. Dejó el látigo y cogió el garrote como de costumbre. Buck se negó a moverse, a pesar de la lluvia de garrotazos que le caían encima. Como sus camaradas, apenas podía tenerse en pie; pero a diferencia de ellos, estaba resuelto a no levantarse. Tenía la vaga sensación de un peligro inminente. Lo había sentido con fuerza cuando llegaron a la orilla del río y todavía lo sentía. A causa del hielo tan fino y quebradizo que había notado todo el día bajo sus patas, le parecía que el desastre sería inevitable en aquellos hielos por donde su amo se empeñaba en llevarlo. Se negó a moverse. Había sufrido tanto y estaba tan agotado que los golpes apenas le dolían.

Y mientras seguían cayéndole encima, la chispa de vida que había dentro de él oscilaba y disminuía. Casi se apagó. Buck sentía un extraño sopor. Como desde muy lejos, le llegaba la sensación de que le estaban pegando. Acabó por dejar de sentir dolor. Ya no notaba nada, aunque oía muy vagamente el golpe del garrote sobre su cuerpo. Pero lo sentía tan lejano que ya no le parecía su cuerpo.

Y de repente, sin previo aviso, con un grito desgarrador que más parecía el rugido de una fiera, John Thornton se abalanzó sobre el hombre que blandía el garrote. Hal retrocedió tambaleándose, como si le cayera encima un árbol derribado. Mercedes gritó. Charles se quedó mirando pensativo, se secó los húmedos ojos, pero no se levantó, porque se sentía anquilosado.

John Thornton se plantó delante de Buck, intentando controlarse, tan rabioso que no podía ni hablar.

—Si vuelve a tocar ese perro, lo mato —consiguió decir al fin con voz entrecortada.

—El perro es mío —le contestó Hal, enjugándose la sangre que le manaba de la boca mientras avanzaba—. Apártese de mi camino o tendrá que vérselas conmigo. Voy a ir a Dawson.

Thornton seguía entre él y Buck sin dar la menor señal de apartarse. Hal sacó su gran cuchillo de monte. Mercedes chilló, lloró, rió y dio muestras de hallarse presa de un ataque de histeria. Thornton le dio a Hal un golpe en los nudillos con el mango del hacha que le hizo soltar el cuchillo. Volvió a machacárselos cuando hizo ademán de irlo a recoger. Luego se agachó, cogió el cuchillo y cortó de dos tajos las riendas de Buck.

A Hal no le quedaban ganas de pelear. Además tenía entre las manos, mejor dicho entre los brazos, a su hermana, y Buck estaba medio muerto y apenas podía servirle para arrastrar el trineo. A los pocos minutos dejaban la orilla con dirección al río. Buck los oyó marchar y alzó la cabeza para mirarlos. Pike iba delante y Sol-leks en varas; entre ambos iban Joe y Teek. Todos renqueaban y se tambaleaban. Mercedes iba sentada en el cargado trineo, Hal manejaba la vara de mando y Charles iba detrás dando tumbos.

Mientras Buck los miraba, Thornton se arrodilló a su lado y fue palpándolo, con toscas y cariñosas manos, por si tenía algún hueso roto. Para cuando el trineo se hallaba a un cuarto de milla de distancia, ya se había percatado de que Buck no tenía más que un montón de magulladuras y un terrible estado de inanición. El hombre y el perro seguían contemplando cómo el trineo se arrastraba por el hielo. De repente vieron que la parte de atrás se hundía, como en un bache, y Hal, agarrado a la palanca de mando, saltaba por el aire. Oyeron gritar a Mercedes. Vieron que Charles se daba la vuelta intentando escapar. Y luego un gran trozo de hielo cedió y hombres y perros desaparecieron. No se veía más que un enorme agujero. Se había desprendido el fondo de la pista.

John Thornton y Buck se miraron.

—Pobrecito mío —dijo John Thornton a Buck, que le lamía la mano.

Por el amor de un hombre

Cuando a John Thornton se le habían helado los pies en diciembre del año anterior, sus compañeros lo dejaron acomodado en el campamento para que pudiera restablecerse y ellos se fueron río arriba para buscar una balsa de troncos que los llevase hasta Dawson. Todavía cojeaba un poco cuando salvó a Buck, pero, con el buen tiempo, llegó a restablecerse del todo. Y allí, tendido a orillas del río durante aquellos largos días de primavera, mirando correr el agua, escuchando perezosamente los trinos de los pájaros y el murmullo de la naturaleza, Buck fue poco a poco recuperando sus fuerzas.

Un descanso viene muy bien después de un viaje de tres mil millas y hay que reconocer que Buck se dio a la buena vida mientras se le cicatrizaban las heridas, reponía músculos y la carne volvía a cubrirle los huesos. La verdad es que todos (Buck, John Thornton, Skeet y Nig) holgazaneaban de lo lindo mientras esperaban la balsa que habría de llevarlos a Dawson. Skeet era una perrita setter irlandesa, que desde el primer momento intentó hacer migas con Buck y a la cual él, cuando estaba medio muerto, no pudo ofrecer resistencia alguna. Tenía esa cualidad de enfermera que muchos perros tienen; y como hace una gata con sus gatitos, se dedicó a lamer y limpiar las heridas de Buck. Todos los días sin faltar uno, después de desayunar, se dedicaba a la tarea que ella misma se había impuesto, hasta el punto de que Buck esperaba sus cuidados con tanto interés como los de Thornton. Nig, que también era afable, aunque menos expresivo, era un perrote negro, medio sabueso, medio galgo, con ojos sonrientes y eterno buen humor.

Para sorpresa de Buck, ningún perro dio muestras de tener celos de él. Parecían compartir la bondad y la generosidad de John Thornton. Según Buck iba recobrando fuerzas, lo arrastraban a todo tipo de juegos ingenuos, a los cuales siempre acababa uniéndoseles Thornton; y así salía Buck de la convalecencia y empezaba una nueva vida. Por primera vez sentía amor, un amor auténtico y apasionado. Nunca lo había llegado a conocer allá en la finca del juez Miller, en el soleado valle de Santa Clara. Para los hijos del juez había sido un compañero de trabajo, en sus cacerías o paseos; para los nietos del juez, una especie de protector honorífico; y para el mismo juez, un amigo digno y respetado. Pero lo que se dice un amor ardiente y enfebrecido, que es adoración y locura, sólo lo había sentido hacia John Thornton.

Este hombre le había salvado la vida, que ya es decir; pero además era el amo perfecto. Otros hombres se preocupaban del bienestar de sus perros por sentido del deber y por conveniencia propia; pero este cuidaba de sus perros como si fueran sus hijos; porque otra cosa hubiera sido impensable. Y lo hacía a fondo. Nunca se olvidaba de saludarlos con cariño o con una palabra amable y se sentaba muchos ratos a hablar con ellos (a cotorrear, decía él) y disfrutaba tanto con esto como los mismos animales. Solía coger la cabeza de Buck entre sus toscas manos de una manera muy especial, apoyando su cabeza sobre la del perro, y meciéndolo mientras le decía palabrotas, que a Buck le parecían palabras de amor. Para Buck no había alegría más grande que aquel rudo abrazo y el sonido de aquellos juramentos en voz baja; y a cada balanceo le parecía que el corazón se le iba a escapar del pecho, de la emoción que sentía. Cuando lo soltaba, Buck se echaba a sus pies de un salto, con la boca sonriente, los ojos chispeantes, el cuello palpitante de sonidos inarticulados, y allí se quedaba inmóvil mientras John Thornton le decía, admirado:

—¡Por Dios, Buck; sólo te falta hablar!

Buck tenía una manera de expresar su amor que casi hacía daño. Solía coger la mano de Thornton entre sus dientes y morderla con tal fuerza que las señales de los dientes se quedaban un buen rato marcadas. Pero igual que Buck comprendía que las palabrotas eran palabras de amor, el hombre se daba cuenta de que aquellos mordiscos eran en realidad caricias.

Sin embargo, la mayor parte del tiempo, el amor de Buck se expresaba como adoración. Aunque se volvía loco de alegría cuando Thornton lo tocaba o le hablaba, no buscaba estas demostraciones. A diferencia de Skeet, tan aficionada a meter el hocico bajo la mano de Thornton y estar allí removiéndolo hasta que se lo acariciaba, o de Nig, que solía acercarse a apoyar su gran cabeza en las rodillas de su amo, a Buck le bastaba con adorarlo de lejos. Se pasaba horas tumbado a sus pies, atento, alerta, observando su cara, pendiente de ella, estudiándola, sin perder el más mínimo detalle de cualquier gesto, de cualquier movimiento o cambio de expresión. En otras ocasiones, se quedaba echado algo más lejos, a un lado o detrás del hombre, y observaba el perfil de su figura y los eventuales movimientos de su cuerpo. Y tan compenetrados estaban, que, a menudo, la intensidad de la mirada de Buck hacía que Thornton volviera la cabeza y le devolviera la mirada sin una palabra, con el corazón saliéndosele por los ojos como se le salía a Buck.

Hasta mucho tiempo después de su salvación, a Buck no le gustaba perder de vista a Thornton. Desde que salía de la tienda hasta que volvía a meterse en ella,

Buck le seguía pegado a sus talones. Los continuos cambios de dueño que había sufrido en aquellas tierras del Norte le habían inducido a pensar que no había amo permanente. Temía que Thornton desapareciera de su vida como habían desaparecido Perrault y François y el mestizo escocés. Incluso por la noche, en sueños, lo acechaban aquellas pesadillas. En esas ocasiones se despertaba y se arrastraba por el frío hasta la entrada de la tienda y allí se quedaba escuchando la respiración de su amo.

Pero a pesar del gran amor que sentía hacia John Thornton y que pudiera parecer una señal de influencia civilizadora, la fuerza de lo primitivo, que el Norte había despertado en su ser, seguía viva y activa. Era leal y fiel, cualidades que nacen junto al fuego y bajo techo; pero conservaba también su astucia y su fiereza. Era una criatura bravía, que llegaba de la naturaleza para sentarse junto al fuego de John Thornton, y no un perro de las mansas tierras sureñas, marcado por generaciones de vida doméstica. Por el gran amor que le tenía, no era capaz de robar a aquel hombre; pero no dudaba un segundo en robar a otros hombres, de otros campamentos; y tan astutamente lo hacía que siempre lograba escapar inmune.

Su cara y su cuerpo tenían cicatrices de los dientes de muchos perros, pero seguía peleando con la misma fuerza y con mayor habilidad. Skeet y Nig eran demasiado mansos como para pelearse, y, además, eran los perros de John Thornton; pero en cuanto aparecía un perro forastero, de cualquier raza o categoría, enseguida se enteraba de la superioridad de Buck o se encontraba metido en una lucha a muerte con un adversario terrible. Y Buck era implacable. Se había aprendido muy bien la ley del garrote y el colmillo y nunca desperdiciaba una ventaja ni perdonaba a un enemigo al que veía abocado a morir. Había aprendido de Spitz y de los perros más combativos de la Policía y del servicio de correos, y sabía que no había término medio. Había que dominar o ser dominado; y la piedad era una señal de debilidad. En la vida primitiva no existía. Se confundía piedad con temor y ello acarreaba la muerte. Matar o morir, comer o ser comido: tal era la ley; y Buck obedecía a aquel mandato que surgía de las profundidades del tiempo.

Era más viejo que los días que había vivido y que los alientos que había respirado. En él se enlazaban el pasado y el presente, y la eternidad palpitaba en su ser con un ritmo irresistible ante el que se doblegaba, como uno se somete ante las olas y las mareas. Cuando estaba sentado ante el fuego de John Thornton, no era más que un perro de ancho pecho, colmillos blancos y denso pelaje; pero tras él vivían las sombras de perros de todo tipo, medio lobos y lobos salvajes que lo acosaban, hambrientos de la carne que él comía, sedientos del agua que bebía, husmeando el viento con él, escuchando lo que él oía y revelándole los sonidos de la vida salvaje de los bosques; ellos le imponían sus costumbres, dirigían sus acciones, con él se tendían a descansar y con él soñaban, y aún iban más lejos y se convertían en el objeto de sus sueños.

Tan imperiosamente lo llamaban estas sombras que cada día sentía más lejana la humanidad y las exigencias de los hombres. En lo más profundo del bosque resonaba una llamada y, siempre que la oía, con su misterio estremecedor y atractivo, se sentía incitado a volver la espalda al fuego y al hogar y a adentrarse en el bosque hasta lo más profundo del mismo, sin saber dónde ni por qué resonaba imperiosamente la llamada, desde lo más profundo del bosque. Pero, en cuanto llegaba a aquellas blandas tierras vírgenes y a aquellas verdes sombras, el amor que sentía hacia John Thornton lo volvía a atraer hacia el fuego.

Solo Thornton lo retenía. El resto de la humanidad no significaba nada para él. A veces algún viajero de paso lo alababa o lo acariciaba, pero él se mostraba indiferente y, si el hombre era demasiado efusivo, se levantaba y se largaba. Cuando llegaron los compañeros de Thornton, Hans y Pete, con la tan esperada balsa, Buck se negó a hacerles el menor caso hasta que se enteró de que eran amigos de Thornton; luego los toleraba con cierta pasividad, aceptando sus favores como si les hiciera el favor de aceptárselos. Eran hombres grandotes, del estilo de Thornton, que vivían en contacto con la tierra, y tenían ideas elementales y claras; cuando llegaron con la balsa al gran remolino que hay junto a la serrería de Dawson ya se habían percatado de cómo eran Buck y sus costumbres, y no se empeñaban en conseguir que intimara con ellos, como lo hacían Skeet y Nig.

Sin embargo, su amor por Thornton parecía crecer día a día. Era el único hombre al que le consentía que le pusiera un fardo sobre el lomo en los desplazamientos del verano. Nada era demasiado para Buck si Thornton se lo ordenaba. Un día (tras haberse repartido las ganancias de la venta de la balsa y salir de Dawson rumbo al nacimiento del Tanana) los hombres y los perros estaban sentados en la cima de un precipicio que caía a pico sobre un lecho de rocas desnudas, trescientos pies* más abajo. John Thornton estaba sentado junto al borde con Buck a su lado. De repente se le ocurrió una idea absurda y llamó la atención de Hans y Pete sobre el experimento que pensaba efectuar.

—¡Salta, Buck! —le ordenó, extendiendo el brazo sobre el abismo.

Un segundo después agarraba a Buck al borde del precipicio y Hans y Pete tiraban de ambos para ponerlos a salvo.

—Es portentoso —dijo Pete, cuando todo hubo pasado y habían recuperado el habla.

---

* Esos 300 pies equivalen a casi 100 metros.

Thornton meneó la cabeza.

—No; es maravilloso, y además tremendo. Sabes, a veces me da miedo.

—No me gustaría estar en el pellejo de quien se atreva a ponerte la mano encima si él está cerca —comentó Pete tajantemente, señalando a Buck con la cabeza.

—Porr Crristo —añadió Hans—. Mí tampoco.

En Circle City, antes de que acabara el año, los temores de Pete se convirtieron en realidad. Burton el Negro, un tipo ruin y mal encarado, se había enzarzado en una pelea con un forastero recién llegado, en el bar, cuando Thornton se interpuso, apaciguador, entre ellos. Buck, como de costumbre, estaba echado en un rincón, con la cabeza entre las patas, sin perder de vista ni un solo movimiento de su amo. Burton le arreó un puñetazo con todas sus fuerzas sin el menor aviso. Thornton salió dando tumbos y consiguió no caerse al suelo, porque pudo agarrarse a la barra del bar.

Los testigos de la escena oyeron algo que no era ni un ladrido ni un aullido, sino más bien un rugido, y luego vieron cómo el cuerpo de Buck se levantaba por los aires desde el suelo hasta el cuello de Burton. El hombre salvó la vida, porque instintivamente adelantó el brazo, pero cayó al suelo con Buck encima. Buck soltó el brazo que sujetaba entre los dientes y volvió a dirigirse al cuello. Esta vez, el hombre apenas pudo protegerse y acabó con el cuello desgarrado. Entonces la muchedumbre se abalanzó sobre Buck y lo apartaron del hombre; pero mientras un médico trataba de contener la hemorragia él rondaba por allí, gruñendo endemoniadamente, intentando atacar, y solo lo contuvieron rodeándolo con una barrera de garrotes hostiles. Enseguida se reunió un «consejo de mineros», que decidió que el perro había actuado bajo provocación y Buck fue absuelto. Pero desde aquel día se hizo famoso y su nombre se extendió por todos los campamentos de Alaska.

Más tarde, en el otoño de aquel mismo año, volvió a salvarle la vida a John Thornton en circunstancias bastante distintas. Los tres socios bajaban una canoa de remos por un difícil tramo de rápidos del río Forty Mile. Hans y Pete avanzaban por la orilla, sujetándola con una fina cuerda de cáñamo de árbol en árbol, mientras Thornton iba dentro del bote y bajaba ayudándose con una larga pértiga, al tiempo que gritaba órdenes a los que estaban en la orilla. Buck, en tierra, ansioso y preocupado, avanzaba por delante del barco sin perder por un segundo a su amo de vista.

En un punto especialmente peligroso, donde un saliente de rocas quedaba apenas sumergido bajo el agua, mientras Thornton trataba de empujar el barco hacia el agua profunda, Hans soltó cuerda y corrió por la orilla río abajo, todavía con la cuerda en la mano para intentar recoger el bote más abajo de las piedras. Así lo hizo y el barco se deslizaba aguas abajo por una corriente tan rápida como la de la rueda de un molino, cuando en estas Hans tiró de la cuerda, pero demasiado de repente. El bote se volcó y vino arrastrado hacia la orilla, mientras Thornton salía despedido y era arrastrado río abajo hacia el punto más peligroso de los rápidos, un tramo de aguas turbulentas de las que ningún nadador habría podido salir con vida.

Buck se zambulló al instante; al cabo de trescientos metros, en medio de un remolino de agua, dio alcance a Thornton. Cuando notó que éste le agarraba la cola, Buck se dirigió hacia la orilla, nadando con todo su espléndido vigor. Pero avanzaban poco hacia la orilla, pues el agua los arrastraba con fuerza río abajo. Desde más abajo les llegaba el fatídico estruendo de la corriente aún más salvaje, que se abría en varios brazos y golpeaba contra las rocas, que la hendían como las púas de un enorme peine. La fuerza del agua era tremenda al comienzo de la última pendiente y Thornton se dio cuenta de que era imposible alcanzar la orilla. Trató de asirse a una roca, fue dando tumbos por encima de otra y cayó de golpe sobre una tercera. Allí se agarró desesperadamente a la superficie resbaladiza con las dos manos, soltándose de Buck, y le gritó por encima del estruendo del agua:

—¡Vete, Buck! ¡Vete!

Buck no pudo detenerse y siguió río abajo, luchando desesperadamente, pero incapaz de regresar. Cuando oyó de nuevo las órdenes de Thornton, sacó en parte el cuerpo del agua, volvió la cabeza como para mirar a su amo por última vez y regresó obediente hacia el ribazo. Nadaba con vigor y Pete y Hans consiguieron arrastrarlo hasta la orilla en el mismísimo punto en que ya era imposible nadar y la muerte parecía inevitable.

Sabían que el tiempo que un hombre es capaz de hacer frente a una corriente impetuosa asido a una roca resbaladiza es cuestión de minutos; así que corrieron por tierra hasta un punto situado más arriba del lugar donde se hallaba Thornton. Ataron la cuerda con la que habían ido arrastrando el barco al cuello y al lomo de Buck, cuidando de que ni lo sofocara ni entorpeciera sus movimientos al nadar, y lo echaron al agua. Nadó desesperadamente, pero sin mantener la dirección correcta. Se dio cuenta de su error demasiado tarde, cuando pasaba por delante de Thornton, a media docena de brazadas de él, y la corriente lo arrastraba irremediablemente.

Hans maniobró ágilmente la cuerda como si Buck fuera un barco. La cuerda tiraba de él en medio de la corriente y Buck se hundió debajo del agua, y por debajo fue hasta la orilla, de donde lo sacaron. Estaba medio ahogado y Hans y Pete se echaron sobre él, haciéndole tragar aire y vomitar agua. Logró ponerse en pie, pero volvió a desplomarse. Hasta ellos llegaba el débil sonido de la voz de Thornton y, aunque no lograban entender lo que decía, sabían que se hallaba al límite de sus fuerzas. La voz de su amo actuó sobre Buck como una descarga eléctrica. Se puso en pie de un salto y corrió hacia la orilla por delante de los hombres hasta el punto donde anteriormente se había tirado al agua. Le volvieron a atar la cuerda y de nuevo saltó al agua y avanzó por ella, pero esta vez en la dirección correcta. Se había equivocado una vez, pero no cometería de nuevo el mismo error. Hans iba soltando cuerda poco a poco y Pete procuraba que no se enredase. Buck mantuvo el rumbo hasta hallarse en línea recta por encima de Thornton; luego hizo un viraje y bajó con la velocidad de un tren hacia el hombre. Thornton lo vio llegar y, justo cuando Buck le daba alcance con todo el ímpetu de un ariete, arrastrado por la fuerza de la corriente, se echó sobre él y se agarró con los dos brazos a su peludo cuello. Hans amarró la cuerda a un árbol y Buck y Thornton se sumergieron bajo el agua. Ahogándose, jadeantes, a veces uno arriba y otras el otro, arrastrándose contra los pedruscos del fondo, chocando contra rocas y raigones, consiguieron alcanzar la orilla.

A Thornton lo pusieron Hans y Pete boca abajo sobre un gran tronco de árbol y allí estuvieron haciéndolo rodar a toda velocidad hasta que volvió en sí. Lo primero que miró fue hacia Buck, sobre cuyo cuerpo rígido y al parecer sin vida gemía Nig, mientras Skeet lamía su cara húmeda y sus ojos cerrados. Thornton, a pesar de estar magullado y dolorido, examinó cuidadosamente el cuerpo de Buck cuando este hubo recobrado el sentido, y se percató de que tenía tres costillas rotas.

—No hay más que hablar —anunció—. Acampamos aquí mismo.

Y allí se quedaron hasta que se soldaron las costillas de Buck y pudo volver a ponerse en camino.

Aquel invierno, en Dawson, Buck aún llevó a cabo otra hazaña, tal vez menos heroica, pero que puso su nombre unos cuantos puntos más arriba en el tótem de la fama de Alaska. Esta hazaña resultó especialmente provechosa para los tres hombres, que tenían gran necesidad del equipo que consiguieron con ella y pudieron así realizar el tan ansiado viaje a las tierras vírgenes del Este, donde todavía no habían llegado los mineros. Todo empezó con una conversación en el bar Eldorado, donde los hombres fanfarroneaban de lo lindo sobre sus perros favoritos. Buck, con la fama que tenía, se convirtió en el blanco de todas las conversaciones y Thornton no tuvo más remedio que salir en su favor. Al cabo de media hora uno de los hombres aseguraba que su perro era capaz de arrancar un trineo con quinientas libras de peso encima y salir tirando de él; otro alardeaba de que su perro lo hacía con seiscientas libras y un tercero que el suyo con setecientas.

—¡Bah, bah! —dijo John Thornton—. Buck es capaz de arrancar un trineo cargado con mil libras de peso.

—¿Y despegarlo del hielo y arrastrarlo cien yardas? —preguntó Matthewson, un rey de las minas y el que había dicho que su perro podía con setecientas libras.

—Y despegarlo del hielo y arrastrarlo cien yardas —contestó John Thornton con aplomo.

—Bueno —dijo Matthewson en tono deliberadamente lento, para que todo el mundo pudiera oírlo—. Apuesto mil dólares a que no puede. Aquí está el dinero.

Y diciendo esto, puso encima del mostrador un talego de oro en polvo del tamaño de un salchichón.

Nadie abrió la boca. El farol de Thornton, si es que era un farol, había encontrado respuesta. Sintió cómo una oleada de sangre tibia le subía a las mejillas. Su lengua le había traicionado. No sabía si Buck era capaz de arrastrar mil libras de peso. ¡Media tonelada! Se dio cuenta de que era un disparate. Confiaba muchísimo en la fuerza de Buck y a menudo había pensado que probablemente sería capaz de tirar de un peso así; pero nunca hasta aquel momento se había enfrentado a la posibilidad de tener que hacerlo, y los ojos de media docena de hombres silenciosos y expectantes estaban fijos en él. Por otra parte, no tenía los mil dólares y Hans y Pete tampoco.

—Tengo ahí fuera un trineo cargado con veinte sacos de harina de cincuenta libras de peso cada uno —prosiguió Matthewson sin más contemplaciones—, así que no hay problema.

Thornton no contestó. No sabía qué decir. Fue mirando a los presentes con la mirada ausente del hombre que ha perdido la capacidad de discurrir y anda buscando el mecanismo que se la vuelva a poner en marcha. De pronto, sus ojos se fijaron en Jim O'Brien, otro de los magnates y antiguo compañero. En cuanto lo vio, se decidió a hacer algo que hasta entonces nunca se le hubiera ocurrido.

—¿Me puedes prestar mil dólares? —le preguntó con un hilito de voz.

—Claro —contestó O'Brien, plantando otro grueso talego al lado del de Matthewson—. Aunque no me fío mucho de que el animal sea capaz de hacerlo. ¿Sabes, John?

La clientela de Eldorado salió a la calle para presenciar la prueba. Las mesas se quedaron vacías y los clientes y empleados se acercaron para ver en qué quedaba el envite y hacer apuestas. Varios cientos de hombres, con guantes y abrigos de pieles, formaron un corro a poca distancia del trineo. El trineo de Matthewson, cargado con mil libras de harina, llevaba allí parado un par de horas y bajo el intenso frío (sesenta grados bajo cero*) los patines se habían quedado completamente pegados a la nieve dura. Los hombres apostaban dos a uno a que Buck no sería capaz de despegar el trineo. Se

* Equivalen a 51 grados centígrados bajo cero.

originó una discusión sobre el término «despegarlo». O'Brien afirmaba que Thornton tenía derecho a despegar los patines y que era suficiente con que Buck «arrancara» el trineo, es decir, lo pusiera en marcha. Matthewson insistía que la frase implicaba que Buck tenía que despegar los patines de las garras heladas de la nieve. La mayoría de los hombres que habían presenciado la apuesta se pusieron de su parte y entonces las apuestas subieron tres a uno en contra de Buck.

No había quien apostara en su favor. Nadie lo creía capaz de tal hazaña. Thornton se había visto obligado a aceptar el desafío, pero tenía muchas dudas al respecto; y ahora, ante el trineo, ante la pura realidad, con el equipo de diez perros acurrucados en la nieve allí delante, la tarea aún le parecía más imposible. Matthewson no cabía en sí de gozo.

—¡Tres a uno! —gritó—. Te juego otros mil tres a uno, Thornton. ¿Qué me dices?

En la cara de Thornton se reflejaba la duda, pero se puso en marcha su espíritu de lucha: aquel que se crece ante las dificultades, que se niega a admitir que algo es imposible y que es sordo lo que no sea el clamor de la batalla. Hizo venir a Hans y Pete. Sus sacos estaban medio vacíos y, aun contando con el suyo propio, los tres socios no reunieron más que doscientos dólares. Estaban en un mal momento y aquella cantidad era todo su capital; sin embargo, la pusieron, sin un momento de duda, junto a los seiscientos dólares de Matthewson.

Desengancharon los diez perros del tiro y amarraron a Buck con sus propios arneses al trineo. Se le había contagiado la excitación y en cierto modo se daba cuenta de que tenía que hacer algo extraordinario por John Thornton. Su espléndido aspecto provocó murmullos de admiración. Estaba en perfectas condiciones, sin una onza de carne de más, y las ciento cincuenta libras que pesaba eran otras tantas libras de energía y fuerza. Su pelaje brillaba lustroso como la seda. La melena por el cuello y el lomo, aunque estuviera quieto como ahora, estaba medio erizada y parecía levantársele a cada momento, como si un exceso de energías transmitiera vida y actividad a cada uno de los pelos. El amplio pecho y fuertes patas delanteras estaban tan proporcionados como el resto del cuerpo, y los músculos se adivinaban firmes bajo la piel. Los hombres le palparon los músculos y aseguraron que eran duros como el hierro, y entonces las apuestas bajaron a dos a uno.

—¡Oiga, caballero! ¡Oiga! —tartajeó un miembro de la dinastía más reciente, un rey de los Skookum Benches—. Le doy ochocientos así, tal cual.

Thornton meneó negativamente la cabeza y se puso al lado de Buck.

—Tiene que mantenerse alejado —protestó Matthewson—. Juego limpio y campo libre.

La multitud enmudeció; solo se oían las voces de los envidadores ofreciendo en vano apuestas de dos a uno. Todo el mundo reconocía que Buck era un animal soberbio, pero veinte sacos de cincuenta libras de harina se les figuraban demasiado grandes como para inducirlos a aflojar la bolsa.

Thornton se arrodilló al lado de Buck. Le cogió la cabeza entre las manos y apoyó su mejilla contra la del perro. Pero no se la sacudió juguetonamente, como solía, ni le musitó dulces palabras de amor; solo le murmuró al oído:

—Demuéstrame que me quieres, Buck. Demuéstrame que me quieres.

Eso es lo que le murmuró. Y Buck gañó de impaciencia contenida.

La muchedumbre los observaba con curiosidad. El asunto resultaba misterioso. Parecía un conjuro. Cuando Thornton se puso en pie, Buck le cogió entre los dientes la mano enguantada y se la mordió; luego la fue soltando poco a poco, como si no quisiera. Era su respuesta, expresada no con palabras, sino con un gesto amoroso. Thornton se alejó de él.

—Ahora, Buck —le dijo.

Buck tensó las riendas y luego las aflojó un poquito. Así había aprendido a hacerlo.

—¡Arre! —gritó Thornton con voz cortante en el tenso silencio.

Buck se echó hacia la derecha terminando el movimiento con un empujón que volvió a tensar las riendas y frenó de golpe el impulso de sus ciento cincuenta libras. La carga se estremeció y debajo de los patines se produjo un leve crujido.

—¡Hale! —ordenó Thornton.

Buck repitió la maniobra, esta vez hacia la izquierda. El crujido se convirtió en chasquido, el trineo se tambaleó, los patines resbalaron y se movieron unas pulgadas hacia un costado. El trineo se había despegado. Los hombres contenían la respiración sin darse cuenta de ello.

—Ahora, ¡ARRE!

La orden de Thornton resonó como un pistoletazo. Buck echó todo su peso hacia adelante, tensando las riendas con una violenta embestida. Todo su cuerpo se contrajo bajo el tremendo esfuerzo, y sus músculos se retorcieron y apelotonaron como si estuvieran vivos bajo el sedoso pelaje. Su ancho pecho rozaba el suelo; con la cabeza baja y adelantada, movía las patas a toda velocidad, dejando sobre la nieve dura las huellas paralelas de sus pezuñas. El trineo osciló y se balanceó, a punto de arrancar. A Buck se le resbaló una pata y a uno de los hombres se le escapó un grito. Luego el trineo empezó a dar bandazos, en una rápida sucesión de sacudidas, sin volverse ya a parar... media pulgada... una pulgada... dos pulgadas... Poco a poco las sacudidas fueron disminuyendo hasta que Buck las suprimió del todo, según el trineo iba cogiendo velocidad y el movimiento se hacía continuo.

Los hombres cogieron aliento y volvieron a respirar, sin darse cuenta de que, desde hacía un momento, habían dejado de hacerlo. Thornton corría detrás de Buck, animándolo con breves palabras de entusiasmo. Habían medido el trayecto y, al irse acercando al montón de leños que indicaba el final de las cien yardas, empezó a oírse un murmullo que fue creciendo hasta convertirse en un clamor victorioso cuando Buck pasó los leños y se detuvo al oír la voz de alto. Todos dieron rienda suelta a su entusiasmo, incluso Matthewson. Gorros y guantes volaban por los aires. Los hombres se estrechaban la mano, a tontas y a locas, y parloteaban alegre y atolondradamente.

Pero Thornton cayó de rodillas junto a Buck. Con su cabeza junto a la del perro, lo mecía entre sus brazos. Los que se acercaron hasta ellos lo oyeron maldecir a Buck, con insultos largos y fervientes y dulces y enamorados.

—¡Oiga, caballero! ¡Oiga! —farfulló el rey de los Skookum Benches—. Le doy mil por él, caballero; mil dólares, caballero..., mil doscientos, oiga.

Thornton se puso en pie. Tenía los ojos húmedos. Las lágrimas le resbalaban sin disimulo por las mejillas.

—Caballero —le dijo al rey de los Skookum Benches—. No me da la gana. Y váyase a la mierda y que le aproveche, caballero.

Buck agarró la mano de Thornton entre sus dientes. Thornton se quedó meciéndolo. Y, como animados por el mismo impulso, los mirones se alejaron hasta una distancia respetuosa; ninguno cometió la indiscreción de interrumpirlos.

El clamor de la llamada

Al ganar Buck en cinco minutos mil seiscientos dólares para John Thornton, permitió que su amo saldara algunas deudas y emprendiera viaje con sus socios hacia el Este, en pos de una legendaria mina perdida cuya historia era tan antigua como la de aquellas tierras. Muchos hombres la habían buscado; pocos la llegaron a encontrar; pero bastantes de aquellos nunca habían regresado de la expedición. Aquella mina perdida estaba impregnada de tragedias y envuelta en misterios. Nadie sabía quién era el hombre que la había descubierto. Las tradiciones más antiguas se detenían antes de llegar a él. Desde el primer momento hubo allí una cabaña vieja y desvencijada. Hombres agonizantes habían jurado que existía, al igual que la mina cuya localización indicaba la cabaña, y confirmaban su testimonio con pepitas de oro de una calidad desconocida en las tierras del Norte.

Pero no había hombre vivo que hubiera sido capaz de saquear aquella casa del tesoro, y los muertos muertos estaban; así que John Thornton y Pete y Hans, junto con Buck y otra media docena de perros, se pusieron en marcha hacia el Este por una pista desconocida, con la intención de conseguir lo que otros hombres y otros perros tan buenos como ellos no habían logrado. Recorrieron con el trineo setenta millas Yukón arriba, torcieron a la izquierda por el río Stewart, cruzaron el Mayo y el McQuestion, y siguieron por el Stewart hasta que este se convierte en un arroyuelo que serpentea por entre los picachos que señalan la espina dorsal del continente.

John Thornton pedía poco a la humanidad y a la naturaleza. No le asustaban los lugares agrestes. Con un puñado de sal y un rifle era capaz de internarse por cualquier fragosidad y quedarse por donde le pareciera y todo el tiempo que se le antojase. Sin ninguna prisa, como los indios, cazaba la comida durante sus desplazamientos; y si acaso no encontraba nada, como los indios, proseguía su camino con la seguridad de que, tarde o temprano, acabaría por hallar algo. Así que, en aquel largo viaje hacia el Este, el menú se componía a base de carne fresca, la carga del trineo consistía principalmente en municiones y herramientas, y la planificación del viaje se hacía contando con un futuro ilimitado.

Buck gozaba indeciblemente con la caza, la pesca y los vagabundeos interminables por tierras desconocidas. Se pasaban semanas caminando sin parar, día tras día; y otras veces se quedaban varias semanas de acampada en cualquier lugar, mientras los perros descansaban y los hombres prendían hogueras para derretir barro y tierra helada y poder cribar en aquellos agujeros enormes cantidades de cedazos de arena al calor del fuego. A veces pasaban hambre y otras se daban grandes comilonas, según la abundancia de la caza y la suerte del cazador. Llegó el verano y perros y hombres, con los equipos a cuestas, cruzaron en balsa los azules lagos de las montañas y subieron y bajaron ríos desconocidos en frágiles lanchas construidas con troncos serrados en el cercano bosque.

Pasaban los meses y ellos iban y venían por aquella inmensidad desconocida, donde no había ningún hombre, pero donde tuvo que haberlos habido, si es que de verdad existía la Cabaña Perdida. Cruzaron desfiladeros en medio de tormentas de verano, tiritaron bajo el sol de medianoche sobre las desnudas montañas que separan los límites forestales de la región de las nieves eternas, bajaron por valles calurosos entre enjambres de moscas y mosquitos y, a la sombra de los glaciares, cogieron fresas tan dulces y flores tan hermosas como cualquiera de las mejores de las tierras sureñas En otoño llegaron a una extraña zona de lagos, triste y silenciosa, que había sido morada del pato salvaje, pero donde ya no se veía ni ser vivo ni señal de vida alguna; allí no había más que vientos helados, hielo hasta en los lugares resguardados, y un melancólico batir de olas en los ribazos solitarios.

Y pasaron otro invierno errando sobre las pistas olvidadas de otros hombres que los habían precedido. En cierta ocasión se toparon con un sendero abierto en el bosque y creyeron que se acercaban a la Cabaña Perdida. Pero el sendero acababa tan incomprensiblemente como había empezado, sin llevar a ningún sitio, y resultó tan misterioso como el hombre que lo construyera y la razón que tuvo para hacerlo. Otra vez se tropezaron con los restos de un antiguo refugio de caza y, entre los jirones de unas mantas podridas, John Thornton encontró un fusil de pedernal de cañón largo. Lo reconoció como uno de los fusiles de los que, en sus primeros tiempos, utilizaba la Hudson Bay Company en el Noroeste, cuando un arma como aquella valía un montón de pieles de castor puestas una encima de otra hasta llegar a la altura del fusil. Y no había nada más: ni rastro del hombre que en aquellos tiempos había construido el refugio y había abandonado el fusil entre las mantas.

De nuevo llegó la primavera y al cabo de tantas caminatas fueron a dar no con la Cabaña Perdida, sino con un placer a flor de tierra en un amplio valle donde el oro relucía como manteca amarilla en el fondo del cedazo. Ya no buscaron más. Cada día de trabajo les reportaba miles de dólares en polvo limpio y pepitas de oro, y trabajaban todos los días. Iban guardando el oro en talegos de piel de alce, a razón de cincuenta libras por bolsa, y amontonándolas como si fueran leños junto a la choza de ramas de abeto. Como gigantes se afanaban y los días se sucedían a toda velocidad como si fuera un sueño, mientras ellos iban amontonando su tesoro.

Los perros no tenían otro quehacer más que acarrear de cuando en cuando la caza que Thornton abatía, y Buck se pasaba las horas muertas ante el fuego. Cada vez se le aparecía más insistentemente la imagen del hombre velludo de piernas cortas, ahora que había poco trabajo; y, a menudo, parpadeando junto al fuego, Buck erraba con él por aquel otro mundo de su recuerdo.

Lo más sobresaliente de aquel otro mundo era, al parecer, el miedo. Cuando observaba al hombre velludo dormido junto al fuego, con la cabeza entre las piernas y las manos cruzadas por encima de la cabeza, Buck se daba cuenta de que aquel dormía con intranquilidad, y se despertaba a menudo sobresaltado; y en esas ocasiones escrutaba atemorizado la oscuridad y echaba algo más de leña al fuego. Cuando caminaban por la orilla del mar y el hombre velludo recogía caracolas que se comía según las iba recogiendo, sus ojos giraban sin cesar en busca de ocultas amenazas y sus piernas estaban siempre prestas a correr, veloces como el viento, en cuanto apareciera el peligro. Por el bosque se deslizaban en silencio, Buck pegado a los talones del hombre velludo; y ambos iban alertas y vigilantes, con las orejas tensas y las aletas de la nariz temblorosas, pues el oído y el olfato del hombre eran tan agudos como los de Buck. El hombre velludo era capaz de trepar a los árboles y avanzar por las alturas tan deprisa como por el suelo, balanceándose colgado de los brazos de rama en rama, a veces con separaciones de hasta doce pies, soltándose y volviéndose a agarrar sin caerse nunca, sin perder el control. En realidad parecía moverse con la misma facilidad por entre los árboles que por el suelo, y Buck recordaba haber pasado noches enteras en vela bajo algún árbol en el que descansaba el hombre velludo, bien agarrado a las ramas mientras dormía.

Y, estrechamente ligada a las visiones del hombre velludo, estaba la llamada que no dejaba de sonar en lo más profundo del bosque. Le llenaba de enorme impaciencia y extraños deseos. Le hacía sentir una alegría suave y dulce y percibía unas ansias y unos anhelos salvajes por algo que no sabía precisar. A veces se adentraba en el bosque en pos de la llamada, buscándola como si se tratase de algo tangible, ladrando suave o provocadoramente, según estuviera de humor. A veces metía el hocico en el musgo fresco del bosque, o en la tierra negra donde crecen altas hierbas, e inhalaba gozosamente los densos olores de la tierra; otras, se quedaba varias horas acurrucado tras cualquier tronco de árbol cubierto de líquen, como si estuviera al acecho, con los ojos muy abiertos y las orejas atentísimas, de cualquier cosa que se moviera o se oyese a su alrededor. Acaso, tendido en esa posición, esperaba descubrir aquella llamada que no lograba comprender. Pero no sabía qué motivo lo impulsaba a hacer aquellas cosas. Se sentía impulsado a hacerlas sin poder razonar sobre ellas.

Lo asaltaban impulsos irresistibles. A veces estaba echado en el campamento, sesteando soñolientamente a mediodía y, de repente, levantaba la cabeza y erguía las orejas, escuchando con toda atención; y luego se ponía en pie de un salto y salía disparado y no paraba de correr durante horas enteras por las naves del bosque o por los espacios abiertos por donde crecían algunos matorrales. Le encantaba recorrer lechos de ríos secos y espiar agazapado la vida de los pájaros de los bosques. Se podía pasar el día entero tendido en el sotobosque observando las perdices que revoloteaban contoneándose de arriba abajo. Pero lo que más le gustaba era correr, en la suave penumbra de las noches de verano, atento a los mitigados y adormecidos murmullos del bosque, leyendo signos y sonidos igual que un hombre puede leer un libro y buscando aquella cosa misteriosa que lo llamaba y le decía incesantemente, estuviera despierto o dormido, que acudiera.

Una noche se despertó de un brinco, con los ojos inquietos, las aletas de la nariz olfateando temblorosas, y el pelaje encrespado en repetidas olas. Del bosque le llegaba la llamada (o una de sus notas, que la llamada tenía muchas), concreta y definida como nunca hasta entonces: un aullido prolongado, semejante pero distinto al de cualquier perro esquimal. Y le resultó conocido y familiar, como un sonido ya escuchado. Atravesó corriendo el campamento dormido y, con paso ligero y silencioso, se adentró en el bosque. Al irse acercando al lamento disminuyó la marcha, caminando muy cautelosamente hasta que llegó a un claro del bosque y vio allí, sentado sobre las ancas, con el hocico apuntando al cielo, un largo y flaco lobo gris.

Aunque Buck no había hecho ruido alguno, el lobo cesó de aullar e intentó detectar su presencia. Buck avanzó por el claro, medio agazapado, con el cuerpo contraído, el rabo recto y tieso, apoyando las patas en el suelo con extremada precaución. Cada movimiento anunciaba, entremezcladas, una amenaza y una disposición acogedora. Era la tregua amenazadora que marca el encuentro de los animales de presa. Pero el lobo salió huyendo en cuanto lo vio. Buck lo siguió, a grandes saltos, desesperado por darle alcance. Lo persiguió por un camino ciego, en el lecho de un arroyo seco, donde unos troncos caídos cerraban el paso. El lobo se revolvió, girando sobre sus patas traseras como lo hacía Joe y como lo hacen todos los perros esquimales cuando se encuentran acorralados; gruñía y se le erizaba el pelo mientras entrechocaba los dientes en una serie de rápidas y sucesivas dentelladas.

Buck no lo atacó; se dedicó a caminar a su alrededor, cercándolo con requerimientos amistosos. El lobo desconfiaba y estaba asustado, porque Buck era tres veces más grande que él y su cabeza apenas llegaba al hombro del perro. Así que, en cuanto tuvo ocasión, se escapó y la persecución volvió a reanudarse. Una y otra vez se encontró acorralado y la escena se repitió; pero no estaba en buena forma física, pues de lo contrario Buck no habría sido capaz de darle alcance con tanta facilidad. Corría hasta que la cabeza de Buck llegaba a la altura de su flanco y entonces giraba acorralado y se volvía a escapar a la menor oportunidad.

Pero al cabo la constancia de Buck tuvo su recompensa, pues el lobo, al ver que el perro no quería hacerle daño, acercó su hocico al de Buck para olfatearse mutuamente. Luego se hicieron amigos y estuvieron jugueteando de esa forma nerviosa y medio tímida con la que los animales salvajes encubren su ferocidad. Después de un rato, el lobo comenzó a caminar a paso ligero y seguro, con el aspecto de quien se dirige a algún lugar determinado. Hizo comprender a Buck que podía acompañarlo, y juntos corrieron por la oscura penumbra y cruzaron el lecho del arroyo hasta la garganta de donde surgía y por encima de la línea divisoria de las aguas, de donde procedía.

Al fondo de la colina que había al otro lado de esta vertiente, llegaron a un terreno llano donde había grandes extensiones de bosque y muchos torrentes, y por allí anduvieron corriendo mientras el sol se levantaba y el día se iba calentando. Buck estaba loco de contento. Se daba cuenta de que al fin respondía a la llamada, corriendo a la vera de su hermano del bosque hacia el lugar de donde sin duda procedía la llamada. Los recuerdos de antaño acudían en tropel y lo conmovían como en otros tiempos lo habían conmovido las realidades de los que estos eran una sombra. Ya había hecho aquellas cosas en algún lugar de aquel mundo que vagamente recordaba, y volvía a hacerlas ahora, cuando corría libremente por los espacios abiertos, con la tierra virgen bajo sus patas y el ancho cielo sobre su cabeza.

Se detuvieron a beber al borde de un arroyo y, al pararse, Buck se acordó de John Thornton. Se sentó. El lobo empezó a caminar hacia el lugar de donde sin duda procedía la llamada, luego se volvió hacia él, le olfateó el hocico e hizo unos gestos como para animarlo a proseguir. Pero Buck se dio la vuelta e inició lentamente el camino de regreso. Casi durante una hora estuvo su hermano salvaje corriendo a su lado, gañendo bajito. Luego se sentó, alzó el hocico hacia el cielo y aulló. Era un aullido quejumbroso y Buck siguió oyéndolo, cada vez más lejano, mientras proseguía su camino, hasta que se perdió en la distancia.

John Thornton estaba cenando cuando Buck llegó al campamento y se echó sobre él como un ciclón, ofreciéndole grandes muestras de afecto, tirándolo por el suelo y dándole revolcones; le lamió la cara y le mordió la mano e «hizo el payaso», como decía John Thornton, y este lo acunaba y le decía insultos cariñosos.

Durante dos días y sus dos noches Buck no salió del campamento, ni perdió a John Thornton de vista. Lo seguía por todas partes mientras trabajaba, lo observaba mientras comía, y a su lado estaba cuando se acostaba por la noche y se levantaba por la mañana. Pero al cabo de dos días la llamada del bosque se dejó oír con más fuerza que nunca. Buck se volvió a encontrar desasosegado, y lo perseguían los recuerdos de su hermano salvaje y de la tierra feliz que había más allá de la línea divisoria de las aguas, y de los paseos que juntos dieran por las grandes extensiones de bosques. De nuevo comenzó a vagar por el bosque, pero su hermano salvaje no acudió, y aunque se pasaba las noches en vela, escuchando, no volvió a oír su aullido quejumbroso.

Empezó a dormir fuera y a veces se marchaba del campamento durante varios días; en una ocasión llegó a cruzar la línea divisoria que hay por encima del desfiladero y bajó por la región de los bosques y de los torrentes. Por allí anduvo vagabundeando toda una semana, buscando en vano las huellas recientes de su hermano salvaje, matando su presa mientras seguía avanzando, y caminando con ese trote largo y fácil que nunca parece acusar cansancio. Pescó salmones en un gran río que iba a desembocar en cualquier punto en el mar y a sus orillas mató un gran oso negro, al que habían cegado los mosquitos mientras pescaba como Buck, y que salió rugiendo por el bosque, indefenso y furioso. Con todo y con eso, la lucha entre ambos fue tremenda y despertó los últimos restos latentes de la ferocidad de Buck. Así que, cuando dos días después regresó a donde estaba su presa muerta y se encontró con una docena de carcayús disputándose los despojos, los ahuyentó sin ningún esfuerzo; y los que lograron escapar dejaron detrás a dos que ya no estaban para muchas disputas.

Las ansias de sangre se hicieron más fuertes que nunca. Era un matador, un animal de presa, que se alimentaba de seres vivos, solo, sin otra ayuda que su propia fuerza y su habilidad, que lograba sobrevivir en un ambiente hostil donde solo los fuertes sobrevivían. Por todo ello llegó a sentirse muy orgulloso de sí mismo, orgullo que se contagiaba a su aspecto físico. Se mostraba en todos sus movimientos, era evidente en el juego de cada uno de sus músculos, se expresaba a las claras en su porte y hacía más hermoso si cabe su hermosísimo pelaje. Si no fuera por la mancha parda que tenía sobre el hocico y encima de los ojos y por el mechón de pelo blanco que le cruzaba el pecho, bien se le habría podido tomar por un lobo gigante, más grande que el mayor de toda la manada. De su padre, el San Bernardo, heredaba el peso y el tamaño, pero su madre, la collie, le había dado forma a aquel peso y a aquel tamaño. Su hocico era el largo hocico de un lobo, solo que más grande que el hocico de cualquier lobo, y su cabeza, aunque más ancha, era la cabeza de un lobo ampliada.

Su astucia era la astucia de un lobo, corregida y aumentada; su inteligencia, la de un perro pastor y la de un San Bernardo juntas; y todo esto, unido a una experiencia adquirida en la más cruel de las escuelas, lo había convertido en una criatura tan temible como cualquier otra de las que vagaban por aquellas tierras salvajes. Animal carnívoro que vivía exclusivamente a base de carne, se encontraba en el cenit de su vida y derrochaba fuerza y energías. Cuando Thornton le pasaba la mano por el lomo acariciándolo, se producía un chasquido crepitante al descargar cada pelo una chispa magnética al contacto de la mano. Cada una de las partes de su cuerpo y de su mente, cada célula de sus nervios y cada una de sus fibras estaba afinada con la agudeza más exquisita; y entre todas las partes existía un equilibrio o un ajuste perfecto. A las imágenes, sonidos y acontecimientos que requerían acción, respondía con la velocidad del rayo. Si un perro esquimal se abalanzaba rápidamente para defenderse o para atacar, Buck lo hacía el doble de rápido. Veía el movimiento o percibía el sonido y respondía en menos tiempo que el que cualquier otro perro necesitaba para percatarse de lo que había visto u oído. Él lo percibía, tomaba una decisión y actuaba inmediatamente. En realidad estas tres acciones (percibir, razonar y reaccionar) eran secuenciales, pero los espacios de tiempo entre ellas eran en Buck tan minúsculos que parecían simultáneas. Sus músculos estaban sobrecargados de vitalidad y entraban en acción de repente, como si fueran resortes de acero. La vida fluía por él como un hermosísimo torrente, gozoso y exuberante, y parecía como querer escaparse de su cuerpo arrebatado de pasión y desparramarse generosamente por el mundo.

—Nunca he visto un perro igual —comentó John Thornton un día, mientras los tres socios miraban a Buck, que se alejaba del campamento.

—Después de hacerlo, rompieron el molde —dijo Pete.

—¡Porr Crristo! Lo mismo yo creerr —afirmó Hans.

Lo vieron alejarse del campamento, pero no vieron la inmediata y tremenda transformación que en él se produjo en cuanto llegó a la intimidad del bosque. Ya no caminaba. Al momento se convirtió en una fiera y se movía suavemente, a pasos de felino, como una sombra fugitiva que aparece y desaparece entre las sombras. Sabía aprovechar cada escondrijo, reptar sobre su vientre como una serpiente y, como ella, saltar y atacar. Era capaz de cazar una perdiz blanca en su nido, matar un conejo sin despertarlo, y cazar de un mordisco en el aire las ardillitas listadas que se demoraban un segundo antes de refugiarse en los árboles. En los remansos abiertos, los peces no eran demasiado rápidos para él, ni los castores, que reparaban sus presas, lo suficientemente precavidos. Mataba para comer, no por capricho; pero prefería comer lo que él había matado. Sus acciones obedecían a impulsos tan extraños que a veces se complacía en perseguir a las ardillas y, cuando ya las tenía a su alcance, las dejaba escapar, chillando aterrorizadas hasta la copa de los árboles. Al llegar el otoño aparecieron, en grandes cantidades, los alces, que se trasladaban lentamente hacia el Sur para pasar el invierno en los valles más bajos y menos fríos. Buck ya había derrotado a una cría extraviada; pero le tentaba enfrentarse a un enemigo mayor y más peligroso, y un día se topó con uno en la línea divisoria que hay encima del desfiladero. Una manada de veinte alces llegaba desde la región de los bosques y los torrentes y entre ellos destacaba un macho de gran tamaño. Estaba furioso, y con una altura de más de seis pies era un adversario aún más formidable que lo que Buck podría desear. El alce meneaba su enorme cornamenta palmeada que se ramificaba en catorce puntas y abarcaba siete pies de ancho, desde una punta a la otra. Sus ojillos ardían con una chispa de rencor y bramó furioso al ver a Buck.

De un costado del alce, justo detrás de la ijada, sobresalía la punta de una flecha emplumada, lo que explicaba su furor. Guiado por aquel instinto procedente de los lejanos días en que cazaba en un mundo primitivo, Buck procedió a separar el macho del resto de la manada. La cosa no resultó nada fácil. Tuvo que saltar y ladrar delante del alce, manteniéndose fuera del alcance de su cornamenta y de sus terribles pezuñas afiladas, que le habrían podido quitar la vida de un solo golpe. Incapaz de rehuir los peligrosos colmillos y escaparse, el alce se sumía en ataques de ira. Entonces cargaba sobre Buck, que se retiraba astutamente, atrayéndolo hacia sí mientras simulaba que no podía escapar. Pero, cuando había conseguido así separarlo de sus compañeros, dos o tres de los machos más jóvenes volvían a cargar sobre Buck y el macho herido podía regresar con la manada.

Existe una paciencia en la naturaleza salvaje (tenaz, incansable, obstinada como la vida misma) que es capaz de mantener inmóvil las horas muertas a la araña en su tela, a la serpiente hecha un anillo, a la pantera en su emboscada; esta paciencia es propia sobre todo de los seres que cazan a otros seres vivos; y era la propia de Buck, que no se despegaba de la manada y retrasaba su marcha, acosando a los machos jóvenes, acongojando a las hembras y a sus crías y haciendo enloquecer de rabia al macho herido. Así siguieron durante medio día. Buck se multiplicaba, atacaba por todas partes, envolvía a la manada con un torbellino de peligros, aislaba a su víctima en cuanto había logrado regresar con sus compañeros, agotaba la paciencia de las criaturas perseguidas, que es menor que la paciencia de las criaturas que se dedican a perseguir.

Según avanzaba el día y el sol descendía hasta su lecho por el Noroeste (la oscuridad había vuelto y las noches de otoño duraban seis horas), los machos jóvenes tenían cada vez menos ganas de retroceder hasta donde su jefe se encontraba en apuros. La proximidad del invierno los apremiaba a trasladarse a zonas más bajas, pero, al parecer, no iban a poderse sacar de encima a aquella criatura que los retrasaba. Además, no era la vida de la manada, ni siquiera la de los machos jóvenes, la que estaba en peligro. Sólo se les pedía la vida de uno de sus miembros y ésta les interesaba mucho menos que las suyas propias, así que al fin accedieron a pagar este tributo.

Al anochecer el viejo macho estaba en pie, con la testa baja, observando a sus compañeros (las hembras que había conocido, las crías que había engendrado, los machos que había dominado), que se perdían a paso ligero por entre las últimas luces. No podía seguirlos porque ante él brincaba aquel despiadado terror con colmillos que no lo dejaba escapar. Pesaba tres quintales, más de media tonelada, había vivido una vida larga e intensa, llena de luchas y peleas, y al final se enfrentaba a la muerte bajo los dientes de una criatura cuya cabeza no sobrepasaba la altura de sus grandes rodillas.

A partir de aquel momento, Buck no dejó a su presa ni de día ni de noche, ni le dio un momento de descanso, ni le permitió ramonear las hojas de los árboles ni los brotes de los sauces y de los abedules pequeños. Y tampoco le dio al macho herido la oportunidad de saciar su ardiente sed en los riachuelos que cruzaban. A veces, desesperado, se echaba a correr durante un buen trecho. Entonces, Buck lo dejaba correr, pero lo seguía tan tranquilo muy de cerca, satisfecho del modo en que se desarrollaba el juego, tumbándose cuando el alce se detenía y atacándolo ferozmente cuando intentaba comer o beber.

Aquella gran cabeza se iba derrumbando bajo su árbol de cuerna y su paso arrastrado se debilitaba poco a poco. Cada vez se quedaba más rato parado, con el hocico en el suelo y las orejas gachas, caídas; y Buck tenía cada vez más tiempo para beber o para descansar. En esas ocasiones, cuando jadeaba con la roja lengua fuera y tenía los ojos fijos en el alce, le parecía a Buck que se iba a producir un cambio en el aspecto de las cosas. Le parecía percibir en la tierra un estremecimiento. Lo mismo que llegaron los alces, llegaban también otros tipos de vida. El bosque y el agua y el aire parecían palpitar con su presencia. Hasta él llegaba la noticia que no le venía ni por la vista, ni por el oído, ni por el olfato, sino por otro sentido más sutil. No veía nada ni oía nada, pero sabía que la tierra era en cierto modo distinta; y decidió que investigaría el asunto en cuanto hubiera concluido la tarea que traía entre manos.

Por fin, al anochecer del cuarto día, consiguió derribar al gran alce; todo el día y toda una noche se quedó junto a su presa, comiendo y durmiendo sucesivamente. Luego, cuando se encontró descansado, fresco y fuerte, se dio media vuelta rumbo al campamento y a John Thornton. Emprendió un trote largo y cómodo y caminó horas y horas sin desorientarse por aquel laberinto de senderos, avanzando en línea recta hacia el campamento por una región desconocida, con una seguridad en el rumbo que dejaría en ridículo a cualquier hombre con una brújula.

Según se acercaba, percibía con mayor claridad el estremecimiento nuevo de la tierra. Se había difundido una vida que era distinta de la que allí había habido durante el verano y de esto se percataba ya y no de un modo sutil y misterioso. Los pájaros hablaban de ello, las ardillas lo cuchicheaban, hasta la brisa lo murmuraba. Varias veces se detuvo y aspiró el fresco aire matutino a grandes bocanadas, leyendo un mensaje que le hacía avanzar a grandes saltos. Le oprimía la sensación de que iba a suceder una calamidad, o incluso de que ya se había producido; y cuando cruzó el último torrente y bajó por el valle hacia el campamento, avanzó con mucha precaución.

A tres millas del campamento se encontró con huellas frescas que le pusieron los pelos de punta. Se dirigían directamente hacia el campamento y hacia John Thornton. Buck apresuró el paso, corriendo sigilosamente, con todos sus nervios tensos y alertas, atento a los múltiples detalles que le revelaban lo sucedido: todo excepto el desenlace. Su olfato le proporcionaba una variada descripción de la vida en pos de la cual corría él. Advirtió el silencio del bosque preñado de emociones. Los pájaros habían volado. Las ardillas estaban escondidas. Solo pudo ver una: un ejemplar gris y lustroso que se aplastaba contra una rama seca y gris, como si fuera parte de la misma, como una protuberancia leñosa de la madera misma.

Cuando Buck se deslizaba furtivo como una sombra volante, de repente volvió el hocico hacia un lado, como si una fuerza material lo hubiera agarrado y tirado de él. Siguió aquel nuevo olor hasta unos matorrales y encontró a Nig. Estaba echado de costado, y había llegado arrastrándose para morir allí, con una flecha que le atravesaba el cuerpo de parte a parte.

A cien yardas de allí Buck se topó con uno de los perros de tiro que había comprado Thornton en Dawson. El perro se debatía en los últimos estertores de la muerte, en medio de la pista, y Buck pasó ante él sin detenerse. Del campamento le llegaba el débil sonido de muchas voces que se elevaban y se apagaban en un canto monótono. Al salir al claro del bosque se encontró a Hans, tendido boca abajo y emplumado con flechas como si fuera un puerco espín. En aquel mismo momento Buck miró hacia donde había estado la choza de ramas y lo que vio hizo que se le erizaran los pelos de la melena y del lomo. Le invadió una sensación de rabia infinita. No se dio cuenta de que rugía, pero lanzó un rugido terriblemente feroz. Fue la última vez en su vida que permitió que la pasión usurpara el puesto de la astucia y de la razón, y ello porque su gran amor por John Thornton le hizo perder la cabeza.

Los yeehats bailaban alrededor de los restos de la choza de pinos, cuando de repente oyeron un rugido espantoso y vieron que se les venía encima un animal como nunca habían visto otro. Era Buck, huracán vivo de furia, que se abalanzaba sobre ellos en un frenesí de destrucción. Se lanzó sobre el primer hombre que encontró (que era el jefe de los yeehats) y le desgarró la garganta hasta que de la yugular seccionada brotó un chorro de sangre. No se entretuvo mordiendo más a aquella víctima, sino que procedió de otra dentellada a destrozar el cuello de otro indio. No había quien lo frenara. Se revolvía por entre ellos, mordiendo, cortando, destruyendo, en un movimiento continuo y espantoso que desafiaba las flechas que le disparaban. Y realmente se movía tan increíblemente deprisa, y los indios estaban en un grupo tan compacto, que se hirieron unos a otros con sus propias flechas; y uno de los jóvenes cazadores tiró a Buck una lanza que se clavó en el pecho de otro cazador con tal ímpetu, que se lo atravesó y la punta le salió por la piel de la espalda. Entonces, el pánico hizo presa en los yeehats y huyeron espantados al bosque gritando por el camino que había llegado el Espíritu del Mal.

Y en verdad era Buck la encarnación de un demonio que los perseguía furioso y los derribaba como si fueran gamos mientras corrían por entre los árboles.

Fue un día aciago para los yeehats. Quedaron desperdigados por toda la región y hasta una semana más tarde no lograron los supervivientes reunirse en un valle más bajo y hacer recuento de las víctimas. En cuanto a Buck, regresó al desolado campamento cuando se cansó de perseguirlos. Allí encontró a Pete muerto entre las mantas en el primer momento de sorpresa. La desesperada lucha que había mantenido Thornton estaba recién escrita en la tierra y Buck fue husmeando todos sus detalles hasta el borde de una profunda charca. A orillas de la misma, con la cabeza y las patas delanteras en el agua, se hallaba Skeet, leal hasta el final. La charca, fangosa y turbia por las improvisadas represas, escondía eficazmente su contenido; pero allí estaba John Thornton, porque Buck le siguió la pista hasta el agua, de donde no volvía a salir ninguna huella.

Buck se pasó el día meditando tristemente junto a la charca o vagando inquieto por el campamento. La muerte como una supresión del movimiento, como desaparición de la vida en los seres vivos, la conocía; y sabía también que John Thornton estaba muerto. Esto le producía un gran vacío, como si tuviera hambre; pero era un vacío que no dejaba de doler y que la comida no lograba saciar. A veces, cuando se detenía a contemplar los cadáveres de los yeehats, se olvidaba de su dolor, y entonces se sentía muy orgulloso de sí mismo, con un orgullo mayor que el que hasta entonces jamás había sentido. Había matado al hombre, la presa más noble de las que existían y lo había matado bajo la ley del garrote y el colmillo. Olisqueaba los cadáveres con curiosidad. ¡Habían muerto con tanta facilidad! Era más difícil matar a un perro esquimal que a un hombre. No tenían nada que hacer, si no fuera por las flechas, las lanzas y los garrotes. De ahora en adelante no los volvería a temer, excepto cuando llevaran en la mano flechas, lanzas y garrotes.

Llegó la noche y una luna llena surgió entre los árboles y se elevó en el cielo iluminando la tierra, a la que bañaba con una luz fantasmagórica. Y al llegar la noche, Buck, que meditaba tristemente junto a la charca, se percató de que en el bosque se removía una vida nueva, distinta a la que habían traído los yeehats. Se puso en pie y escuchó y olfateó. De muy lejos llegaba un débil y agudo gañido, al que seguían otros semejantes. Poco a poco los aullidos se hicieron más fuertes y cercanos. Y de nuevo Buck los reconoció como algo que ya había oído en aquel otro mundo que persistía en su memoria. Avanzó hasta el centro del claro y se quedó allí escuchando. Era la llamada, la llamada de muchas notas, que resonaba más sugestiva e imperiosamente que nunca. Y entonces más que nunca estaba dispuesto a obedecer. John Thornton estaba muerto. Se había roto el último lazo. Los hombres y sus exigencias ya no lo tenían sujeto.

A la caza de sus presas, como hacían los yeehats, siguiendo la pista de los alces migratorios, la manada de lobos había llegado al fin desde la región de los bosques y los torrentes e invadido el valle de Buck. Bajaron como una riada de plata hasta el claro donde brillaba la luna; y allí en el medio estaba Buck, inmóvil como una estatua, aguardando su llegada. Se quedaron sobrecogidos, por lo grande y quieto que les pareció, y hubo un momento de silencio hasta que el más atrevido saltó hacia él. Como un rayo, Buck le devolvió el golpe y le rompió el cuello. Luego volvió a quedarse completamente inmóvil, como antes, mientras el lobo herido se retorcía agonizante ante sus ojos. Otros tres volvieron a repetir la prueba en rápida sucesión y uno tras otro tuvieron que retirarse desangrándose por las heridas de cuello y lomo.

Bastó aquello para que toda la manada se adelantase en tropel, apiñados, estorbándose atropelladamente en sus intentos de abatir su presa. La maravillosa rapidez y agilidad de Buck le fueron muy útiles. Giraba sobre sus patas traseras y daba mordiscos y dentelladas sin cesar, multiplicándose, presentando un frente al parecer inquebrantable por lo rápido que giraba y se volvía de un lado a otro. Pero para evitar que lo atacaran por detrás no tuvo más remedio que retroceder hasta más allá de la charca, por el lecho del arroyo, hasta abocar en un gran terraplén de piedras. Fue reculando hasta un ángulo que el terraplén hacía y que los hombres habían ido excavando en sus exploraciones mineras y desde el ángulo les presentó batalla: estaba protegido por tres lados y solo tenía que defender el frente.

Y tan bien lo hizo que al cabo de media hora se retiraban desconcertados. Todos tenían la lengua fuera y jadeaban, y sus colmillos blancos relucían cruelmente a la luz de la luna. Algunos estaban tendidos en el suelo, con la cabeza erguida y las orejas tensas hacia adelante; otros se mantenían en pie y lo observaban; y otros lamían el agua de la charca. Uno de los lobos, largo, flaco y gris, se adelantó con cautela, de manera amistosa, y Buck reconoció en él al hermano salvaje con el que había correteado durante todo un día y una noche. Gañía muy bajito y, cuando Buck le contestó con un gañido, juntaron sus hocicos.

Luego un lobo viejo, flaco y lleno de cicatrices, se adelantó. Buck torció el hocico, como si fuera a gruñir, pero acabó por juntar el hocico con el suyo. Después de lo cual el viejo lobo se sentó, levantó el hocico hacia la luna y emitió un largo aullido de lobo. Los demás se sentaron y aullaron. Y entonces Buck oyó la llamada con inconfundibles acentos. También él se sentó y aulló. Al acabar de hacerlo, salió del ángulo y la manada de lobos lo rodeó, olisqueándolo de una manera entre amistosa y salvaje. Los jefes lanzaron el ladrido del grupo y se internaron por el bosque. Los demás lobos los siguieron, ladrando a coro. Y Buck se fue con ellos, corriendo a la vera de su hermano salvaje, y ladrando mientras corría.

Aquí podría concluir la historia de Buck. No habían pasado muchos años cuando los yeehats percibieron un cambio en la raza de los lobos grises; vieron algunos que tenían una mancha parda en la frente y en el morro y un mechón de pelo blanco en medio del pecho. Pero lo más notable es que los yeehats cuentan que hay un Perro Fantasma que corre al frente de la manada. Tienen miedo de este Perro Fantasma, porque es más listo que ellos y entra a robar en sus campamentos en lo más crudo del invierno, se burla de sus trampas, mata a sus perros y desafía a sus más bravos cazadores.

¡Digo! Y aún se cuentan cosas peores. Hay cazadores que nunca regresan al campamento y cazadores ha habido a quienes sus compañeros de tribu han encontrado con la garganta cruelmente destrozada y con huellas de lobo alrededor que son más grandes que las huellas de cualquier lobo. Cada otoño, cuando los yeehats siguen los movimientos de los alces, hay un valle por el que nunca se adentran. Y hay mujeres que se ponen tristes cuando alrededor del fuego se cuenta el relato de cómo el Espíritu del Mal escogió aquel valle como morada.

Sin embargo, todos los veranos llega hasta aquel valle un visitante que los yeehats no conocen. Es un lobo grande, de magnífico pelaje, semejante y al mismo tiempo distinto de los demás lobos. Cruza en solitario desde la región de los risueños bosques y baja hasta un claro que hay entre los árboles. Allí corre un arroyuelo amarillo que surge de entre unos podridos talegos de piel de alce y desaparece en la tierra; por el agua crecen las altas hierbas y los líquenes lo cubren todo y esconden su color amarillo del sol; allí se queda rondando un buen rato y antes de marcharse emite un solo aullido, prolongado y lastimero.

Pero no va siempre solo. Cuando llegan las largas noches de invierno y los lobos buscan su presa por los valles más bajos, se le puede ver corriendo al frente de la manada a la pálida luz de la luna o bajo el leve resplandor de la aurora boreal, saltando como un gigante por delante de sus compañeros, y su garganta ruge clamorosa mientras entona un canto de un mundo más joven, que es el canto de la manada.

FINIS *

* «Final», «se acabó». (En latín en el original.)

Aquel era el último trozo de tocino que le quedaba a Morganson. Jamás en su vida había mimado su estómago. En realidad, su estómago había sido una especie de cantidad insignificante que le molestaba poco y sobre la que aún pensaba menos. Pero ahora, tras una larga ausencia de los placeres acostumbrados, el intenso apetito de su estómago se vio acuciado por el penetrante y salado tocino.

Su rostro tenía una expresión ansiosa, hambrienta. Tenía las mejillas hundidas y la piel parecía algo tensa sobre los pómulos. Sus ojos azul claro parecían turbados. En ellos se leía la inminente amenaza de un terrible acontecimiento. Y además reflejaban la duda, la ansiedad, el presentimiento. Sus labios delgados lo eran más de lo habitual y tendían anhelantes hacia la bruñida sartén.

Se sentó y sacó una pipa. La escrutó detenidamente y le dio unos golpecitos contra la palma de la mano; estaba vacía. Volvió del revés la petaca de piel de foca y recogió el polvillo del forro, eligiendo cuidadosamente cada brizna y cada pizca de tabaco que lograba conseguir. El resultado era apenas suficiente para rellenar un dedal. Rebuscó por los bolsillos y sacó, entre el dedo índice y el pulgar, algunos restos de desperdicios; entre ellos había algunas briznas de tabaco. Las separó con microscópico cuidado, aunque de cuando en cuando consintió dejar pasar a la palma de su mano pequeñas partículas de extrañas materias junto con el tabaco. Incluso añadió deliberadamente algunas pelusillas de lana semiendurecida procedentes del forro de su gabán y que llevaban muchos meses en el fondo de los bolsillos.

Al cabo de quince minutos tenía la pipa casi llena. La encendió con la lumbre de la hoguera y se sentó sobre las mantas inclinado hacia adelante, tostándose los mocasines y fumando con parsimonia. Cuando hubo terminado de fumar, siguió sentado, meditando ante la mortecina luz de la hoguera. Poco a poco se fue borrando la preocupación de sus ojos, dejando paso a la determinación. Tras tanta aventura caótica había recorrido un buen camino; pero no era un camino agradable. Su rostro adquirió un aire adusto y alobunado y sus labios se apretaron con fuerza.

La determinación dio paso a la acción. Se puso en pie con rigidez y procedió a levantar el campamento. Amontonó sobre el trineo las mantas enrolladas, la sartén, el rifle y el hacha y amarró bien toda la carga. Luego se calentó las manos ante la lumbre y se puso las manoplas. Tenía los pies doloridos y cojeaba visiblemente cuando se colocó al frente del trineo. Al pasarse el lazo de la soga alrededor del hombro y echar el peso de su cuerpo hacia adelante para poner en marcha el trineo, hizo una mueca de dolor. Tenía la carne desollada por la rozadura de tantos días tirando de la cuerda.

La pista seguía el lecho helado del Yukón. Pasadas cuatro horas dobló una curva y penetró en el poblado de Minto, que estaba situado en lo alto de un terraplén en medio de un claro; el poblado consistía en una posada, un bar y varias cabañas. Dejó el trineo a la puerta y entró en el bar.

—¿Es suficiente para un trago? —preguntó, dejando sobre el mostrador un talego de oro en apariencia vacío.

El tabernero miró fijamente el talego y al hombre, y luego sacó una botella y un vaso y dijo:

—No se preocupe por el pago.

—Vamos, coja el polvo de oro —insistió Morganson.

El tabernero volcó el talego sobre la balanza y lo sacudió, y cayeron algunas motas de polvo de oro. Morganson cogió el talego, lo volvió con lo de adentro para fuera y sacudió el polvo con sumo cuidado.

—Creí que habría medio dólar dentro —dijo.

—No tanto —contestó el otro—, aunque casi. Ya lo compensaré con el próximo cliente.

Morganson inclinó la botella y llenó el vaso hasta el borde. Tomó la bebida lentamente, saboreando el fuego que le picaba en la lengua, bajaba ardiente por la garganta y penetraba en el estómago con tibias y suaves caricias.

—El escorbuto, ¿eh? —le comentó el tabernero.

—Un poco —respondió el hombre—. Pero todavía no me he empezado a hinchar. A lo mejor me puedo llegar hasta Dyea y allí, con verduras frescas, logre vencerlo.

—Pues vaya un panorama —rió el otro compadeciéndose de su situación—. Ni perros ni dinero, y encima el escorbuto. Yo en su lugar probaría con infusiones de picea.

Al cabo de media hora, Morganson dijo adiós y salió del bar. Se echó la cuerda del trineo sobre el hombro en carne viva y siguió el curso del río hacia el Sur. Una hora más tarde se detuvo. Del río salía hacia la derecha y en ángulo agudo una hondonada, cuyo aspecto le interesó. Dejó el trineo y recorrió la hondonada cojeando durante media milla. Entre él y el río se extendía una llanura de trescientas yardas cubierta de álamos. La atravesó y llegó a la orilla del Yukón. La pista pasaba justo por debajo, pero no descendió hasta ella. Hacia el Sur, en dirección a Selkirk, podía ver que la pista se ensanchaba por entre la nieve a lo largo de una milla. Pero hacia el Norte, en dirección a Minto, había un saliente boscoso a orillas del río, a un cuarto de milla de distancia, que le tapaba la pista.

Lo que vio pareció complacerle y regresó por donde había venido hasta el trineo. Se echó al hombro la cuerda y remolcó el trineo por la hondonada. La nieve blanda y sin pisar dificultaba el avance. Los patines se atascaban y se quedaban bloqueados y no había avanzado ni media milla cuando ya iba sin resuello. Para cuando hubo plantado la tienda, dispuesto el hornillo y cortado algo de leña, ya era de noche. No tenía velas, así que se limitó a preparar un pucherito de té antes de meterse entre las mantas.

Por la mañana, en cuanto se levantó, se puso las manoplas, se bajó las orejeras de la gorra y cruzó la alameda en dirección al Yukón. Llevaba consigo el rifle. Tampoco esta vez descendió hasta la orilla. Estuvo observando la pista vacía durante una hora, dando palmadas y golpeando el suelo con los pies para mantener activa la circulación, y luego regresó a la tienda para desayunar. Quedaba poco té en la lata, como mucho para media docena de veces, pero puso en la tetera una cantidad mínima, abrigando la esperanza de que aquel té le durase indefinidamente. Todas sus provisiones consistían en medio saco de harina y una latita medio vacía de levadura en polvo. Hizo unas galletas y las comió lentamente, masticando cada bocado con infinito deleite. Cuando hubo comido tres se detuvo. Se quedó un rato dudando, luego fue a coger otra galleta y vaciló. Se volvió hacia el saco de harina, lo cogió y sopesó su contenido.

—Tengo para un par de semanas —dijo en voz alta—. Puede que para tres —añadió mientras guardaba las galletas.

Volvió a ponerse las manoplas, se bajó las orejeras, cogió el rifle y salió del campamento en dirección a la orilla del río. Se agazapó en la nieve y permaneció en expectativa, oculto. Luego de unos minutos de inactividad, el frío helador le empezó a morder, y apoyó el rifle sobre las rodillas mientras batía palmas con vigor.

Después la comezón del frío en los pies se le hizo insufrible y se apartó de la orilla y caminó por entre los árboles de un lado para otro dando fuertes pisotones. Pero de cuando en cuando se interrumpía y regresaba hasta la orilla a observar la pista de arriba abajo, como si a fuerza de desearlo fuera capaz de provocar la aparición de un hombre sobre la misma. Así transcurrió aquella corta mañana, que a él se le antojó que duraba un siglo, y la pista permanecía vacía.

Por la tarde la vigilancia desde la orilla le resultó más cómoda. Subió la temperatura y enseguida comenzó a caer la nieve, seca y fina y cristalina. No había viento y caía en vertical, con tranquila monotonía. Se agazapó con los ojos cerrados y la cabeza apoyada en las rodillas, vigilando la pista de oído. Pero ni el gañido de perros, ni el golpear de trineos, ni los gritos de los conductores rompieron el silencio. Al anochecer regresó a la tienda, cortó algo de leña, comió dos galletas y se metió entre las mantas. Tuvo un sueño inquieto, agitado, quejándose; y a medianoche se levantó y comió otra galleta.

Día a día el frío se hacía más intenso. Cuatro galletas no bastaban para mantener el calor de su cuerpo, a pesar de las cantidades de infusión de picea caliente que bebía, así que aumentó la ración de la mañana y de la noche a tres galletas. A mediodía no comía nada y se contentaba con varias tazas de auténtico té muy flojito. Este programa se convirtió en rutina. Por la mañana tres galletas, a mediodía té de verdad, por la noche tres galletas. Entremedias, infusión de picea para combatir el escorbuto. Se dio cuenta de que estaba haciendo las galletas más grandes y, tras una dura lucha con su conciencia, volvió a prepararlas del tamaño original.

El quinto día la pista cobró vida. Por el Sur apareció un objeto oscuro que se fue haciendo más grande. Morganson se puso alerta. Accionó el rifle, sacó un cartucho cargado de la recámara y lo sustituyó por otro, dejando al mismo tiempo el cartucho retirado en el depósito del rifle. Colocó el gatillo en posición de medio amartillado y se puso la manopla para mantener caliente la mano que iba a disparar. Al acercarse el objeto oscuro se dio cuenta de que era un hombre, sin perros ni trineo, que viajaba ligero de equipaje. Morganson se puso nervioso, amartilló el gatillo y luego volvió a echar el seguro. El hombre resultó ser un indio y Morganson dejó caer el rifle sobre sus rodillas con un suspiro de decepción. El indio pasó por delante de él y prosiguió hacia Minto, desapareciendo detrás del saliente boscoso.

Pero a Morganson se le ocurrió una idea. Cambió de lugar de observación y se situó en un punto donde las ramas de los álamos se extendían a ambos lados de él. Con el hacha hizo en las ramas dos anchas hendiduras. En una de ellas apoyó el cañón del rifle y observó la pista por el punto de mira. Por aquella dirección podía divisar todo el cauce del río. Luego se dio la vuelta, colocó el rifle en la otra hendidura y volvió a observar por el punto de mira hasta el grupo de árboles tras los cuales desaparecía.

Nunca llegó a descender a la pista. Ningún hombre que se desplazara por el lecho del río podría percatarse de que él acechaba desde lo alto de la orilla. La superficie nevada estaba impoluta. Por ninguna parte sus huellas se apartaban de la pista principal.

A medida que las noches se iban alargando, sus períodos de vigilancia a la luz del día se fueron acortando. En una ocasión pasó un trineo cascabeleando en la oscuridad y él lo oyó pasar, resentido y malhumorado, mientras masticaba las galletas. La suerte conspiraba contra él. Llevaba diez días escrutando atentamente la pista, padeciendo en el frío todo el tormento infinito de los condenados, y no había sucedido nada. Solo había pasado un indio, ligero de equipaje. Y ahora que ya era de noche y a él le resultaba imposible vigilar, pasaban por allí hombres y perros y un trineo cargado de vida, rumbo al Sur y al mar, y al sol y la civilización.

Así se imaginaba él aquel trineo que aguardaba. Iría cargado de vida, su vida. Su vida que se marchitaba, languidecía, se agotaba en la tienda, en medio de la nieve. Estaba débil por falta de alimentos y no podía viajar por sus propios medios. Pero en el trineo que aguardaba había perros que podrían arrastrarlo, comida que avivaría la llama de su vida, dinero que pondría a su alcance el mar y el sol y la civilización. Mar, sol y civilización se convirtieron en términos equivalentes a vida, su vida, y constituían la carga del trineo que aguardaba. La idea se convirtió en una obsesión y llegó a creerse el auténtico propietario de aquel cargamento de vida que le había sido arrebatado.

Se le iba acabando la harina y tuvo que limitarse de nuevo a dos galletas por la mañana y dos por la noche. A causa de su debilidad sentía el frío más acuciantemente y día tras día observaba la pista muerta, que no le traía vida alguna. Al fin, el escorbuto se manifestó en su fase siguiente. Su piel ya no podía expulsar las impurezas de la sangre, de modo que su cuerpo empezó a hincharse. Se le inflamaron los tobillos y le dolían tanto que se pasaba muchas horas de la noche sin poder dormir. Luego se le hincharon las rodillas, y este nuevo padecimiento dobló con creces sus dolores.

Después llegó una ola de frío. La temperatura descendía sin cesar: cuarenta, cincuenta grados centígrados bajo cero. No tenía termómetro, pero lo podía adivinar por las señales y fenómenos naturales que conocen todos los hombres de aquel país: el estallido del agua al caer en la nieve, la insufrible mordedura del frío y la rapidez con que se le helaba el aliento y cubría las paredes y el techo de lona de la tienda. En vano intentó combatir el frío y mantener la vigilancia junto a la orilla. Su estado de suma debilidad le convertía en presa fácil y el hielo hundía en él sus dientes antes de que pudiera retirarse a la tienda y agazaparse ante el fuego. La nariz y las mejillas se le helaron y se le ennegrecieron y el pulgar izquierdo se le congeló dentro de la manopla. Llegó a la conclusión de que no se libraría de la pérdida, al menos, de la primera falange.

Y así estaba, recluido en la tienda por la helada, cuando de repente la pista, con monstruosa ironía, rebulló de vida. El primer día pasaron tres trineos y el segundo dos. En dos ocasiones, durante aquellos dos días, logró alcanzar con muchas dificultades las orillas, pero, incapaz de aguantar el frío, tuvo que retirarse; y en las dos ocasiones, a la media hora de haberse retirado, pasó un trineo.

La ola de frío remitió y otra vez pudo permanecer junto a la orilla, pero de nuevo la pista estaba muerta. Se pasó una semana vigilando, sin que la vida se moviera por el cauce, ni por él entrara o saliera un alma. Había reducido su dieta a una galleta por la mañana y otra por la noche, aunque al parecer aquello no le molestaba. A veces se sorprendía de seguir con vida. Nunca habría creído que se pudiera aguantar tanto.

Cuando por la pista volvió a revolotear la vida resultó ser una vida a la que no podía enfrentarse. Pasó un destacamento de la Policía del Noroeste, unos veinte hombres con muchos trineos y perros; se encogió de miedo allá arriba, en la orilla, y ellos prosiguieron ignorantes de la amenaza mortal que los acechaba en forma de un hombre agonizante junto a la pista.

El dedo congelado le molestaba enormemente. Mientras montaba guardia junto a la orilla adquirió la costumbre de sacarse la manopla y meterse la mano por dentro de la camisa para que el dedo se aliviara al calor de su axila. Por la pista apareció un correo y Morganson lo dejó pasar. Un correo era persona de importancia y a buen seguro lo echarían en falta inmediatamente.

Al día siguiente de acabársele la harina, nevó. El ambiente se templaba siempre que nevaba y estuvo de guardia en la orilla del río durante las ocho horas del día, sin moverse, con una paciencia y un hambre infinitas, como si se tratara de una araña monstruosa al acecho de su presa. Pero la presa no apareció y hubo de regresar, renqueante y a oscuras, a la tienda; bebió grandes cantidades de infusión de picea y agua caliente y se acostó.

A la mañana siguiente sucedió un hecho que le facilitó algo más las cosas. Al salir de la tienda vio un alce enorme que cruzaba la hondonada a unas cuatrocientas yardas de distancia. Morganson sintió una oleada de sangre en su interior y luego una inexplicable debilidad. Le entraron náuseas y tuvo que sentarse un momento para recuperarse. Luego cogió el rifle y apuntó con cuidado. El primer disparo dio en el blanco: lo sabía; pero el alce dio media vuelta y enfiló hacia los árboles del terraplén que estaba junto a la hondonada. Morganson disparó alocadamente por entre los árboles y los matorrales al animal fugitivo, hasta que se dio cuenta de que estaba agotando la munición que necesitaba para hacerse con el trineo cargado de vida que esperaba.

Dejó de disparar y prestó atención. Observó la dirección que había tomado el animal en su huida y, en lo alto del terraplén, en un claro del bosque, vio el tronco de un pino caído. Mentalmente recorrió el camino que habría de seguir el alce y vio que tenía que pasar por encima del tronco. Así que decidió efectuar un solo disparo más. Apuntó al espacio vacío que había encima del tronco y logró mantener inmóvil su tembloroso rifle. El animal entró dentro de su campo de mira saltando con las patas delanteras levantadas. Apretó el gatillo. Con la explosión el alce pareció ejecutar una pirueta en el aire. Cayó estrepitosamente al suelo, levantando una polvareda de nieve a su alrededor. Morganson se lanzó por el terraplén arriba, o al menos intentó hacerlo. Cuando volvió en sí se dio cuenta de que se había desmayado e intentaba ponerse en pie. Continuó subiendo por la ladera, pero más despacio, deteniéndose de cuando en cuando para tomar aliento y recuperar sus agotadas fuerzas. Al cabo se arrastró por encima del tronco. El alce yacía ante él. Se cayó sentado sobre la res muerta y se echó a reír. Escondió el rostro entre sus manos enguantadas y siguió riendo.

Logró vencer el ataque de histeria. Sacó el cuchillo de caza y se puso a trabajar con toda la velocidad que le permitían sus debilitadas fuerzas y su dedo lesionado. No se detuvo a despellejar el alce, sino que lo descuartizó con piel y todo. Aquello era un tesoro de carne.

Cuando hubo acabado eligió un trozo de carne que pesaría unas cien libras y empezó a arrastrarla hasta la tienda. Pero la nieve estaba blanda y el esfuerzo le resultaba excesivo. Cambió el pedazo por otro de veinte libras y, tras muchas pausas para descansar, logró llevarlo hasta la tienda. Frió un poco de carne, pero comió frugalmente. Luego, de manera automática, regresó a su puesto de observación en la orilla del río. Había huellas de trineo sobre la nieve recién caída de la pista. El trineo cargado de vida había pasado de largo mientras él se hallaba descuartizando el alce.

Pero no le importó. Se alegraba de que el trineo no hubiese pasado antes de la aparición del alce. El alce había cambiado sus planes. Su carne se pagaba a cincuenta centavos la libra y él se encontraba a poco más de tres millas de distancia de Minto. Ya no tenía que esperar el trineo cargado de vida. El alce era su cargamento de vida. Vendería la carne. Compraría en Minto un par de perros, algo de comida y tabaco, y los perros lo arrastrarían hacia el Sur rumbo al mar, al sol y a la civilización.

Tenía hambre. El dolor sordo y monótono del hambre se convirtió en una punzada aguda e insistente. Regresó cojeando hasta la tienda y se frió un trozo de carne. Luego se fumó dos pipas de hojas de té secas. Después se frió otro trozo de carne. Se dio cuenta de que inesperadamente había recuperado sus fuerzas y salió a cortar leña para el fuego. A continuación se comió otro trozo de carne. Aguzado por la ingestión de alimento, su apetito se desató. Sentía la imperiosa necesidad de freírse a cada rato un trozo de carne. Intentó cortar más pequeñas las tajadas, con el resultado de tenerlas que freír más a menudo. Más tarde se le ocurrió que los animales salvajes se podían comer la carne y subió por el terraplén con el hacha, la cuerda de remolcar el trineo y unas ataduras del mismo. Tan débil estaba que la tarea de preparar un escondite para guardar la carne le llevó toda la tarde. Cortó unos arbolillos, les podó las ramas y los ató formando una especie de horca elevada. No era un escondite tan bueno como a él le hubiera gustado, pero era lo más eficaz dados sus medios. Le costó muchísimo trabajo subir la carne allá arriba. Las piezas más grandes se le resistían, hasta que consiguió pasar la cuerda por encima de una rama que había en la parte superior y luego elevar la carne atada a un extremo mientras tiraba con todas sus fuerzas del otro.

Cuando volvió a la tienda se entregó a una prolongada y solitaria orgía. No necesitaba amigos. Le bastaba con la compañía de su estómago. Pedazo a pedazo, fue mucha la carne que frió y comió. Comió libras de carne. Se hizo té auténtico, y además fuerte. Acabó con el que le quedaba. ¡Qué más daba! Al día siguiente compraría más en Minto. Cuando le pareció que ya no podía seguir comiendo se puso a fumar. Se fumó todas las hojas de té secas que le quedaban. Bueno, ¿y qué? Al día siguiente estaría fumando tabaco. Vació la pipa, se frió un último pedazo de carne y se acostó... Había comido tanto que le parecía que iba a reventar, a pesar de lo cual aún salió de entre las mantas para comer otro bocado.

Por la mañana se despertó como del sueño de la muerte. Notaba en los oídos ruidos extraños. No sabía dónde estaba y se quedó mirando a su alrededor estúpidamente, hasta que su vista recayó sobre la sartén, que contenía el último trozo de carne a medio comer. Luego lo recordó todo y de golpe prestó atención a los ruidos extraños. Se levantó de un salto a la par que soltaba un juramento. Le fallaron las piernas, debilitadas por el escorbuto, e hizo una mueca de dolor. Así que, más lentamente, procedió a ponerse los mocasines y salió de la tienda.

Del escondrijo provenía un confuso ruido de chasquidos y gruñidos a los que de vez en cuando se mezclaban agudos gañidos. Aceleró el paso, aun a costa de aumentar su dolor, mientras daba fuertes voces amenazadoras. Vio que los lobos, muchos lobos, se alejaban por la nieve y entre la maleza, y vio la horca derribada. Los animales se habían dado un buen atracón de carne y al parecer no les importaba irse dejando atrás los restos.

La razón del desastre le resultaba evidente. Los lobos habían olfateado el escondrijo. Uno de ellos había saltado desde el tronco del árbol caído hasta lo alto de la horca. Podía ver las huellas de las patas del animal sobre la nieve que cubría el tronco. Nunca hubiera creído que un lobo era capaz de dar semejante salto. Al primero había sucedido un segundo, y a éste un tercero, y un cuarto, hasta que la endeble horca se había venido abajo con el peso y las sacudidas.

Por un momento su mirada se tornó dura y salvaje al contemplar la magnitud de la catástrofe; luego recuperó su acostumbrado aspecto de resignación, mientras comenzaba a recoger los huesos, completamente roídos y pelados. Bien sabía él que aún contenían el tuétano; y además, de trecho en trecho, al revolver por la nieve, aparecían pedacitos de carne que habían escapado a las fauces de las fieras, cegadas por la abundancia de comida.

Se pasó el resto del día arrastrando los restos del alce por el terraplén abajo. Tenía además unas diez libras de carne de la que se había llevado el día anterior.

«Con esto tengo para varias semanas», se dijo mientras contemplaba el montón.

Había aprendido a pasar hambre y sobrevivir. Limpió el rifle y contó los cartuchos que le quedaban. Eran siete. Cargó el arma y subió renqueando hasta su puesto de observación en la orilla del río. Estuvo todo el día vigilando la pista muerta. Toda la semana se la pasó de guardia, pero no apareció vida alguna por allí.

Gracias a la carne se sentía más fuerte, pero el escorbuto se había agudizado y le producía grandes dolores. Ahora vivía a base de sopa y bebía enormes cantidades de aquel magro producto, resultado de hervir los huesos del alce. La sopa era cada vez más insustancial a fuerza de hervir y machacar repetidamente los mismos huesos; pero el agua caliente con la sustancia de la carne le sentaba bien y tenía más energías que antes de haber matado el alce.

A la semana siguiente un nuevo factor intervino en la vida de Morganson. Deseaba saber la fecha y esto se convirtió en una obsesión. Hizo cálculos y más cálculos, pero rara vez llegaba sucesivamente a la misma conclusión. Era su primera preocupación al despertarse, y la última al acostarse; y todo el día, mientras aguardaba junto a la pista, se lo pasaba pensando en lo mismo. Se despertaba por la noche y se tiraba horas dándole vueltas al problema. El saber la fecha en que vivía era un dato de poco valor para él; pero su curiosidad creció pareja a su hambre y a su deseo de vivir. Por último acabó por dominarlo, así que decidió ir hasta Minto para enterarse del día en que vivía.

Había oscurecido cuando llegó a Minto, pero le venía bien. Nadie lo vio llegar. Además sabía que, de vuelta, tendría luz de la luna. Subió la cuesta y empujó la puerta del bar. La luz lo deslumbró. Procedía de unas cuantas velas, pero él llevaba mucho tiempo viviendo en una tienda a oscuras. Mientras sus ojos se adaptaban a la luz vio a tres hombres sentados alrededor de la estufa. Eran viajeros, no le cabía la menor duda; y como no los había visto llegar por la pista, seguro que pasarían por delante de su tienda a la mañana siguiente.

El tabernero emitió un prolongado silbido de asombro y dijo:

—Creía que se había muerto usted.

—¿Por qué? —preguntó Morganson con voz desfallecida.

Había perdido la costumbre de hablar y le sonaba extraña su propia voz. Le resultaba ronca y desconocida.

—No se le ha visto el pelo desde hace dos meses —le explicó el tabernero—. Salió usted de aquí rumbo al Sur, pero nunca llegó a Selkirk. ¿Dónde ha estado metido?

—Cortando madera para la compañía de barcos de vapor —mintió Morganson sin convicción.

Todavía le costaba trabajo acostumbrarse al sonido de su propia voz. Cruzó el local renqueando y fue a apoyarse en la barra. Sabía que debía mentir con firmeza; y aunque adoptó un aire de descuidada indiferencia, el corazón le latía y le brincaba alocada e irregularmente, y no podía apartar su mirada hambrienta de los tres hombres agrupados alrededor de la estufa. Eran los dueños de la vida, su vida.

—¿Pero dónde diablos ha estado usted metido todo este tiempo? —le preguntó el tabernero.

—En la otra orilla del río —le contestó—. Tengo un buen montón de madera cortada.

El tabernero asintió con la cabeza. Su rostro reflejaba comprensión.

—He oído hachazos varias veces —le dijo—. ¿Así que era usted, eh? ¿Quiere tomar un trago?

Morganson se agarró a la barra con todas sus fuerzas. ¡Un trago! De buena gana le abrazaría a aquel hombre las piernas y le besaría los pies. Intentó en vano musitar alguna palabra; pero el tabernero no aguardó la contestación y ya venía con la botella.

—¿Y cómo se las arregló para comer? —le preguntó—. No tiene usted aspecto de ser capaz de cortar ni unas astillas. Parece que está usted muy malo, amigo.

A Morganson se le hacía la boca agua al ver la botella y tragó saliva.

—Corté la madera antes de que se agravara el escorbuto —dijo—. Y además al principio cacé un alce. No lo he pasado mal, solo que el escorbuto me ha hundido.

Llenó el vaso y añadió:

—Pero yo creo que a fuerza de infusión de picea lograré vencerlo.

—Tómese otro —dijo el tabernero.

El efecto de los dos vasos de whisky en el estómago vacío y el estado de debilidad de Morganson fue fulminante. Cuando volvió en sí estaba sentado en un cajón junto a la estufa y le parecía que hubieran pasado años. Un hombre alto y corpulento, de negra barba, pagaba las bebidas. Los ojos empañados de Morganson le vieron sacar un billete verde de un grueso fajo y su mirada turbia se aclaró de inmediato. Eran billetes de cien dólares. ¡Aquello era la vida! ¡Su vida! Sintió un deseo casi irresistible de arrebatarle el dinero y huir alocadamente en la oscuridad.

El hombre de la barba y uno de sus compañeros se levantaron.

—Vamos, Oleson —le dijo el primero al tercero del grupo, un gigante rubio y coloradote.

Oleson se levantó, bostezando y desperezándose.

—¿Por qué se van a la cama tan pronto? —se quejó el tabernero—. Aún es temprano.

—Mañana tenemos que estar en Selkirk —dijo el de la barba.

—¡Pero si es Navidad! —le gritó el tabernero.

—Cuanto mejor sea el día, mejores serán los hechos —dijo riendo el otro.

Mientras los tres hombres salían, Morganson se percató de que debía de ser Nochebuena. Conque era Nochebuena. Para eso había venido a Minto. Pero su interés se vio eclipsado por la aparición de los tres hombres y su grueso fajo de billetes de cien dólares.

Se oyó un portazo.

—Ese es Jack Thompson —dijo el tabernero—. Hizo dos millones en minerales y sulfuro, y más que están al caer. Me voy a la cama. Pero antes tómese otro trago.

Morganson vaciló.

—Es un regalo de Navidad —le apremió el otro—. No se preocupe. Ya lo pagará cuando venda la madera.

Morganson dominó su borrachera lo suficiente como para tragarse el whisky, dijo buenas noches y salió a la pista. La luna resplandecía y caminó renqueando por la brillante y plateada quietud, contemplando una visión de la vida representada por un fajo de billetes de cien dólares.

Se despertó. Era de noche y él estaba entre las mantas. Se había acostado con mocasines y guantes, con las orejas tapadas por las orejeras de la gorra. Se levantó con la velocidad que le permitía su precario estado de salud, e hizo una hoguera para hervir agua. Mientras ponía dos ramitas de picea en la tetera percibió el primer resplandor de la pálida luz de la mañana. Cogió el rifle y salió renqueando a toda prisa hacia la orilla del río. Allí estaba agazapado y vigilante, y entonces se acordó de que se le había olvidado beber la infusión. También se le ocurrió que a lo mejor John Thompson cambiaba de idea y desistía de viajar el día de Navidad.

Amaneció y se hizo de día. Era un día frío y transparente. Morganson calculó que estarían a cincuenta y un grados centígrados bajo cero. Ni un soplo turbaba la helada quietud del Ártico. De repente se enderezó y la tensión de sus músculos acentuó el dolor que le producía el escorbuto. Había oído el sonido lejano de una voz humana y el tenue gañido de los perros. Comenzó a golpearse las manos una y otra vez contra las caderas. No era ninguna tontería tener que disparar con la mano desnuda a sesenta grados bajo cero y tenía que intentar, en una carrera contra reloj, entrar en calor en la medida de lo posible.

De repente aparecieron por detrás del saliente boscoso. Al frente venía el tercer hombre, que no sabía cómo se llamaba. Luego venían los ocho perros tirando del trineo. Delante del trineo y guiándolo con la palanca de mando caminaba John Thompson. De la retaguardia se ocupaba Oleson, el sueco. No cabía duda de que era un apuesto mozo, pensó Morganson, mientras lo observaba enfundado en su *parka* de piel de ardilla. Las siluetas de los hombres y los perros se recortaban crudamente sobre la blancura del paisaje. Producían el efecto de ser figuras de cartón en dos dimensiones que funcionaban mecánicamente.

Morganson apoyó el rifle amartillado en la hendidura del árbol. De repente se dio cuenta de que tenía los dedos fríos y se percató de que se había quitado la manopla, aunque no recordaba haberlo hecho. Se la volvió a poner apresuradamente. Hombres y perros se acercaban y podía distinguir claramente sus alientos elevándose por el aire frío. Cuando el primer hombre se encontraba a cincuenta yardas de distancia, Morganson se sacó la manopla de la mano derecha. Colocó el índice en el gatillo y apuntó. Cuando disparó, el primer hombre dio media vuelta y cayó sobre la pista.

En aquel instante de sorpresa, Morganson disparó a John Thompson, pero apuntó muy bajo y el hombre se tambaleó y se sentó de repente en el trineo. Morganson volvió a apuntar y disparó. John Thompson cayó hacia atrás derribado sobre la carga del trineo.

Morganson prestó atención a Oleson. Mientras se percataba de que el hombre salía corriendo hacia Minto vio también que los perros, al llegar junto al cuerpo del primer hombre que bloqueaba la pista, se habían detenido. Morganson disparó sobre el fugitivo y erró el tiro, y Oleson se desvió bruscamente. Continuó corriendo en zigzag y Morganson hizo otros dos disparos rápidos y sucesivos y erró el blanco las dos veces. Morganson se detuvo justo cuando se disponía a volver a apretar el gatillo. Había efectuado seis disparos. No le quedaba más que un cartucho, que estaba en la recámara. Era absolutamente esencial no errar el último tiro...

Contuvo el disparo mientras observaba desesperadamente la huida de Oleson. El gigante corría a toda velocidad por la pista, haciendo giros y curvas grotescos con los bajos de la *parka* agitándose tras él. Morganson dirigió el rifle hacia el hombre y con un movimiento oscilante fue siguiendo su errátil huida. A Morganson se le estaba quedando el dedo entumecido por el frío. Apenas podía sentir el gatillo.

—¡Qué Dios me ayude! –murmuró en voz alta mientras apretaba el gatillo. El fugitivo cayó de bruces, rebotó sobre la pista helada y fue resbalando y rodando un buen trecho. Agitó un momento los brazos y luego se quedó inmóvil.

Morganson tiró el rifle (que ya no le servía, puesto que había gastado su último cartucho) y se deslizó cuesta abajo por la nieve blanda. Ahora que tenía su presa ya no le era necesario seguir ocultando su guarida. Avanzó cojeando por la pista hacia el trineo, y los dedos, dentro de las manoplas, ejecutaban involuntariamente movimientos de agarrar y coger algo. El gruñido de los perros lo detuvo. El que marchaba a la cabeza del equipo, un perro grande, mitad Terranova y mitad de la Bahía de Hudson, se hallaba sobre el cuerpo del hombre atravesado en la pista y amenazaba a Morganson, con el pelo erizado, mostrando los colmillos. Los otros siete perros del trineo habían adoptado una actitud similar. Morganson intentó acercarse, y el equipo se abalanzó sobre él. Volvió a detenerse y comenzó a hablar a los animales, ora en tono amenazador, ora con marrullerías. Miró la cara del hombre tendido bajo las patas del perro y se sorprendió al ver lo pronto que se había puesto blanca, al desaparecer de aquel rostro la vida y caer bajo los efectos de la congelación. John Thompson yacía boca arriba sobre la carga del trineo, con la cabeza hundida entre dos sacos y la barbilla levantada, de modo que Morganson solo acertaba a vislumbrar su negra barba apuntando hacia el cielo.

Convencido de la imposibilidad de enfrentarse a los perros, Morganson se salió de la pista y se metió por la nieve para intentar, dando un amplio rodeo, alcanzar la parte trasera del trineo. Bajo la iniciativa del perro-guía, todo el equipo giró enredado en los arneses. A causa de su precaria condición, Morganson solo acertaba a moverse lentamente. Vio que los animales lo cercaban y trató de retroceder. Estaba a punto de conseguirlo, pero el gran perro-guía, de una arremetida bestial, le clavó los dientes en la pantorrilla. Le desgarró la carne, pero Morganson consiguió liberarse de sus fauces.

Maldecía a las fieras rabiosamente, pero no era capaz de intimidarlas. Le respondían erizando el pelaje y mostrándole los colmillos, mientras arremetían velozmente contra los tirantes de los arneses. Se acordó de Oleson, y les dio la espalda huyendo por la pista. Apenas reparaba en su pierna herida. La sangre manaba abundantemente de ella, pues el perro le había desgarrado la arteria principal, pero él no se daba cuenta.

En cambio sí que notó la extremada palidez del sueco, que la noche anterior le había parecido tan coloradote. Ahora su rostro era como de mármol. Y como tenía el pelo y las pestañas rubios, más parecía una estatua que un hombre que hubiera estado vivo unos minutos antes. Morganson se sacó las manoplas y le cacheó el cuerpo. Ni llevaba cinturón-billetero bajo la camisa ni le encontró el talego de oro. En un bolsillo interior halló una cartera cuyo contenido examinó apresuradamente mientras los dedos se le iban entumeciendo de frío por momentos. Había cartas con sellos extranjeros ya matados y varios recibos y facturas, así como una carta de crédito por ochocientos dólares. No había más. De dinero nada.

Hizo ademán de regresar al trineo, pero tenía el pie pegado al suelo. Miró hacia abajo y vio que se encontraba sobre un charco rojo, reciente y congelado. Había hielo rojo en la pernera desgarrada de su pantalón y también en el mocasín. Hizo un esfuerzo y rompió aquel cepo de sangre congelada y se fue cojeando por la pista hacia el trineo. El gran perro-guía que le había mordido empezó a gruñir y a embestir, cosa que imitaron todos los perros del equipo. Morganson lloró débilmente durante un rato y luego, también débilmente, fue dando tumbos de un lado para otro. Después se quitó las lágrimas heladas que perlaban sus pestañas. Aquello era una broma. La mala fortuna se mofaba de él. Hasta el mismo John Thompson, con su barba apuntando hacia el cielo, se reía de él.

Rondaba alrededor del trineo enloquecido; a veces lloraba y suplicaba a las fieras que le concedieran la vida, que se le antojaba allí en el trineo, y otras rabiaba de impotencia contra los perros. Luego se calmó. Había estado haciendo el tonto. La solución estaba en ir a la tienda, coger el hacha, regresar y partir la cabeza a los perros. Ya les enseñaría él.

Para llegar a la tienda tenía que dar un buen rodeo, evitando el trineo y los feroces animales. Se salió de la pista y caminó por la nieve blanda. De repente le dio un vahído y se detuvo. Le dio miedo seguir adelante por si se caía. Se quedó quieto un buen rato, balanceándose sobre sus tullidas piernas, que temblaban violentamente a causa de su debilidad. Miró hacia abajo y vio cómo la nieve se teñía de rojo a sus pies. La sangre seguía manando en abundancia. No se había dado cuenta de que el mordisco era tan grave. Dominó el mareo y se agachó a obsevar la herida. Le dio la impresión de que la nieve se alzaba hacia él y retrocedió como si le hubieran dado un golpe. Le daba pánico caerse y tras muchos esfuerzos logró mantenerse en pie. Le daba miedo aquella nieve que se le había venido encima.

Luego el blanco resplandor se hizo negro y cuando volvió en sí se hallaba tendido en la nieve sobre la que se había caído. Ya no estaba aturdido. Se habían esfumado las telarañas. Pero no era capaz de levantarse. Sus miembros no tenían fuerza. Parecía que su cuerpo carecía de vida. Hizo un esfuerzo desesperado por ponerse de costado. En esa posición consiguió echar una ojeada al trineo y a la negra barba de John Thompson, que apuntaba al cielo. También vio al perro-guía, que lamía la cara del hombre atravesado en la pista. Morganson lo observó con curiosidad. El perro estaba nervioso e impaciente. A veces emitía unos gruñidos breves y agudos, como si quisiera despertar al hombre, y le obsevaba con las orejas tiesas y meneando la cola. Al cabo se sentó, alzó el hocico y comenzó a aullar. Al poco todo el equipo estaba aullando.

Una vez en el suelo, a Morganson se le quitó el miedo. Se imaginó que lo encontraban muerto en la nieve y estuvo un rato llorando, compadeciéndose de sí mismo. Pero no tenía miedo. Ya no se sentía con fuerza para luchar. Cuando intentó abrir los ojos se dio cuenta de que las lágrimas se le habían helado y le resultaba imposible hacerlo. No se molestó en quitarse el hielo. Qué más daba. No se había imaginado que la muerte fuera tan sencilla. Hasta le irritaba haber luchado y sufrido durante tantas semanas de agotamiento. Le había acobardado y engañado el temor a morir. Pero la muerte no era dolorosa. Cada tormento que había sufrido había sido un tormento de la vida. La vida había difamado a la muerte. La vida sí que era cruel.

Pero se le pasó la irritación. Qué importaban las mentiras y los engaños de la vida ahora que se hallaba al término de la suya. Se dio cuenta de que se quedaba amodorrado y le embargaba un dulce sueño reparador que le prometía alivio y descanso. Apenas oía el aullido de los perros y por un momento tuvo conciencia de que el hielo ya no mordía los dominios de su carne. Luego la luz y el pensamiento cesaron de latir bajo sus párpados de lágrimas y con un cansado suspiro de alivio se quedó dormido.

Este libro se terminó de
imprimir en los talleres gráficos
de Mateu Cromo, S. A., Pinto, Madrid, España,
en el mes de febrero de 2004